JN001908

ムダな努力を一切しない
最速独学術

三木雄信
Takenobu Miki

PHP

はじめに

「学び方」が人生を左右する

私たちを取り巻く世界は、近年ますます変化が激しくなり、先が読めない不安定な状況が続いています。

今日と同じ一日が明日もやってくるとは限らない。新型コロナウイルスの流行によって、人々の仕事や生活の様式が激変したことで、誰もがそのことを痛感したはずです。

こうした変化に振り回され、人生が思うようにならないと悩んでいる人もいるでしょう。その一方で、先行き不透明な時代でも、自分らしい人生を切り開いていく人もいます。

この両者を分ける決定的な差とは何か？

そう聞かれたら、皆さんはどう答えるでしょうか。

私ならこう答えます。

「『学び方』を知っているかどうかだ」と。


ここで言う「学び方」とは、**「最短最速で目標を達成するために、自分の学習を自分で正しくデザインする方法」**を意味します。

人生は学び方で9割決まる――。

そう言っても過言ではありません。

本業で結果を出すには「学習」が必要

「学び方一つで人生が左右されるなんて、ずいぶん大げさだな」

そう思われた方もいるかもしれません。

では実例をいくつか挙げましょう。

◉プロサッカー選手

最近は海外リーグに挑戦をする日本のプロサッカー選手が増えています。

しかし、日本で活躍していたときと同じように海外でも活躍できる選手もいれば、そうではない選手もいます。

もちろん様々な要因が考えられますが、海外で活躍するための条件の一つは、「語学をスピーディーにマスターすること」にあります。なぜならサッカーでは技術力に加え、コミュニケーション力がないと活躍できないからです。

サッカーの試合では、選手同士がリアルタイムに連携し、その時々の変化に応じてプレーをしなければいけません。それには試合中に意思の疎通ができるのはもちろん、日頃の練習やロッカールームでチームメイトと会話を交わし、相互理解にもとづく信頼関係を築くことが不可欠です。

また、コンスタントに出場の機会を得るには、自分のコンディションを監督やコーチに正確に伝えることも必要です。

ところが外国語を話せず、周囲とコミュニケーションが取れないと、他の選手からなかなか信頼されません。監督やコーチも、本人の体調やケガの回復具合を正しく把握できず、試合に出場させていいのか判断がつかない。

これが、日本人選手が活躍できない大きな理由となっています。

通訳がいるだろうと思うかもしれませんが、日本人選手が海外へ行く場合、よほどの大物でなければ専属の通訳がつくことはほとんどありません。チームの通訳はいるものの、基本的には「英語と現地語の通訳」であり、このいずれかを理解しなければ、監督やコーチの指示さえわからないままです。

その結果、出場機会が減ってしまったり、出場できてもベストパフォーマンスを発揮できなかったりする。サッカーの才能や実力に差がなくても、語学の学び方を知っているかどうかで差がついてしまうのです。

◉寿司職人

コロナ禍によりあらゆる飲食店が苦境に立たされていますが、なかでも都心の高級寿司店の苦境は深刻です。接待やビジネスの会食が激減し、店を畳んだり、仕事を辞めてしまう職人も少なくありません。

一方、海外では〝寿司ブーム〟が続いています。

海外には日本人の寿司職人が少ないため、求人のニーズが高く、しかも国内より高い水準の報酬が提示されています。日本ならまだ下積みが続く若手でも、サンフランシスコなら年収七〇〇万円から八〇〇万円で働くチャンスがあります。

つまり英語さえマスターすれば、寿司職人を辞めずにすむ上に、サンフランシスコで暮らせて、稼ぎも増えるわけです。

寿司をはじめとする和食は海外の富裕層に好まれているため、コロナ禍のような環境変化が起こっても、常に良い条件で寿司職人の募集があります。

こちらも語学の学び方を知っていれば、人生の選択肢を大きく広げられるのです。

変化の激しい時代は、「学び方」こそが最強のスキル

もちろん、ビジネスパーソンもまったく同じです。**学び方を知っていれば、どんな変化にも対応できます。**

例えばあなたの身にも、こんなことが起こるかもしれません。

- 会社が海外企業に買収されて、企業内の公用語が急に英語になった。
- デジタル化の波が自分の業界にも押し寄せ、これまでまったく縁のなかったデジタルマーケティングに関する知識が急に必要となった。

- 環境問題に配慮した商品開発が急務となり、従来のモノづくりが通用しなくなった。

そんなときも学び方さえ知っていれば、必要な知識やスキルを最短最速でキャッチアップできます。どんな変化が起きても対応できる自信がつけば、将来に対する不安や恐れもなくなります。

変化の激しい今の時代は、学び方こそが最強のスキルであると断言できます。

ところが、**大人になって勉強を始めようとしても、「何を・どれくらい・どうやって学べばいいか」は誰も教えてくれません。**

学生時代のように、学校や塾が決まった教材やカリキュラムを用意してくれるわけではないので、自分の学習を自分で正しくデザインしていかなければいけません。

その上、仕事が忙しい大人には時間がありません。**限られた学習時間の中で、いかに最短最速で結果につなげていくかを、自分で計画することが必要**となります。

だからこそ、まずは「学び方」を知ることが大切なのです。

本書では、それを詳しく解説していきます。

学び続けなければ、今の私はなかった

私の人生も、まさに「学び方」に助けられてきました。

社会人になってからは、多忙な日々の中、短期間で何かを学ばなければいけない場面の連続だったからです。

最初に直面したのが、英語の必要性でした。

私は**二十五歳でソフトバンクに転職し、孫正義社長の秘書に**なりました。

海外出張にも頻繁に同行するようになったものの、実は英会話が大の苦手。議事録をとらなくてはいけないのに、会議で飛び交う会話にまったくついていけず、まったく役に立ちませんでした。

入社早々「このままではクビになる」という危機的状況に陥ったのです。

そこで自分なりに学び方を研究し、結果的に一年間で、ネイティブとビジネス会話ができるレベルの英語をマスターしました。

その後は社長室長として、孫社長のもとで様々な新規事業に携わりました。証券取引所ナスダック・ジャパン（現・新ジャスダック）の開設、日本債券信用銀行（現・あおぞら銀行）の買収、現在の通信会社としてのソフトバンクのベースになったブロードバンド事業の立ち上げといった大型案件でプロジェクト・マネジャーを任され、そのたびに金融やテクノロジーなど新たな知見を学ぶ必要に迫られました。

独立後はベンチャー企業を経営しつつ、様々な業界・業種の企業で社外取締役や顧問を務めています。その一方、厚生労働省の年金記録問題や福島第一原発の汚染水問題などに外部メンバーとして携わってきました。このときも現場で何が起きているのかを理解するため、各専門分野について膨大な知識や情報をインプットしました。

どれも予備知識はゼロからのスタートで、すべてを一から学ぶ必要がありました。

しかも孫社長からは、一般常識では考えられないほどの短期間で結果を出すことが求められます。年金記録問題や汚染水問題についても、一刻も早く解決への道筋をつけなければいけませんでした。

よって、のんびり時間をかけて勉強している余裕などありません。

常に最短最速で、必要なことを学ばなければいけない状況に置かれ続けてきたのです。

「学び方」さえ知れば、誰もが賢い人になれる

これらのタフな状況を乗り切ることができたのはなぜか。

断っておきますが、私に特別な才能や頭の良さがあったからではありません。以前、IQテストを受けたことがありますが、自分でも落ち込むぐらい普通すぎるスコアでした。意志が強いわけでもないし、コツコツと努力を続けるのも苦手で、勉強でも集中力は長続きしません。睡眠時間を削っても平気なショートスリーパーでもありません。

ただ一つ、他の人と違うことがあるとすれば、「学び方」を知っていたことに尽きます。

私は学生や若手ビジネスパーソンからキャリアについて相談される機会も多いのですが、そのたびにこう言ってきました。

「『学び方』さえ知っていれば、誰もが賢い人になれる。生まれ持った能力や置かれた環境は関係ない」

ところが、相手にはなかなか信じてもらえません。

「三木さんは東大出身じゃないですか。全然説得力ないですよ」

そう言われるたびに、残念な思いをしてきました。

私は相手を励ますために、嘘や誇張した話をしているのではありません。学び方のコツさえわかれば、本当に誰もが必要な知識やスキルを習得できるから言っているのです。

そのことを確信した理由が二つあります。

理由❶ TORAIZの実績

私は自分が英語を習得したときに実践した学習法を紹介するため、二〇一四年に『海外経験ゼロでも仕事が忙しくても「英語は1年」でマスターできる』(PHP研究所)を出版しました。

さらに自分で体系化した学び方にもとづき、誰でも一年で英語をマスターできる独自のプログラム「TORAIZ(トライズ)」を開発し、六年前から提供しています。

これまでに約六〇〇〇人の受講生が英語をマスターし、それぞれの夢や目指すキャリアを実現しています。その中にはビジネスパーソンはもちろん、主婦やプロのアスリート、中卒の調理師なども含まれます。

TORAIZの受講生には、先ほど実例として紹介したプロサッカー選手もいます。

オランダ一部リーグ・PECズヴォレの中山雄太選手、同リーグ・AZアルクマールの菅原由勢選手、ポルトガル一部リーグ・CDサンタ・クララの守田英正選手などが短期間で英語を習得し、海外リーグで活躍しています。

このように、職業や学歴にかかわらず、正しい学び方さえ知れば誰もが英語をマスターできます。その実績を六〇〇〇人分も積み重ねてきたことで、「やはり学び方がすべてである」と確信しました。

TORAIZの卒業生の言葉で、忘れられないものがあります。

「英語をマスターできたのも嬉しいが、同時に学習法が身についたことは本当によかった。これからは資格でもプログラミングでも、何でもマスターできると思います」

しかも一人や二人ではなく、同様のことを言ってくれる人がたくさんいます。

こうした実績が、私の確信をますます深めてくれました。

理由❷ インストラクショナル・デザイン

もう一つ、確信の根拠となったのが「インストラクショナル・デザイン」という学習デザイン理論に出合ったことです。

その最大の特長は、**「一人ひとりに最適で、着実にゴールへ到達できる学習プログラム」を作れる**ことです。

私は二〇〇六年に起業してeラーニング事業を始めたのですが、当時はちょうど教育ビジネスの業界でインストラクショナル・デザインが注目され始めた時期でした。

日本でも企業内教育としてeラーニングの導入が進んだものの、標準化されたコンテンツを一律かつ一方向で提供していたため、教材が合わなかったり、わからないことがあってもフィードバックを受けられず、学習を継続できない人が続出していました。

その解決策として期待を集めるようになったのです。

私自身も事業を始めた当初は同様の課題に悩んでいたのですが、あるときにインストラクショナル・デザインを知り、「これだ！」と直感しました。そしてeラーニングのプラットフォームにこの方法論を取り入れたのです。

しかし、標準化したプログラムを提供せざるを得ないeラーニングには限界がありました。そこで、ＴＯＲＡＩＺを始めたのです。実は、ＴＯＲＡＩＺのプログラムは、eラーニングでは実現できなかったインストラクショナル・デザインの究極の理想形を、受講生一人ひとりにコンサルタントが付くことで実現化したものなのです。

TORAIZの六〇〇〇人の実績は、科学的な裏付けがあるからこそ達成できた数字だということです。

ムダな努力を一切せず「最短最速で結果を出せる独学術」

本書では、読者の皆さんが「インストラクショナル・デザイン」を自らの学びに応用できるようにわかりやすく紹介するとともに、ムダな努力は一切なしに「最短最速で結果を出せる独学術」を指南します。

「時間があったら、英語を学びたい。でも仕事が忙しくて……」
「自分が二人いたら、プログラミングスクールに通いたい。でもまだ子どもが小さくて、とてもそれどころでは……」

私がこの本を書いたのは、そんなふうに、**時間がないために夢やキャリアをあきらめている人にこそ、ぜひ読んでもらいたい**と思ったからです。

そして、自分が思い描く通りの幸せな人生を手に入れてほしい。

本書がそのお役に立てたら、著者としてこれほど嬉しいことはありません。

ムダな努力を一切しない最速独学術　目次

はじめに

序章

科学的に証明された、誰もが成功する「学び方」

第1章 STEP1 人生計画を立てる

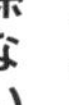

第2章

STEP2 学習目標をクリアにする

第3章

STEP3 自分の学習スタイルを診断する

第4章

STEP4 学習ロードマップを作る

第5章

STEP5 学習スケジュールを立てて習慣化する

STEP6 フィードバック・サイクルを回す

第7章

STEP7 仕事で学びを活用する

おわりに——「学習立国」こそが日本を救う

編集協力：塚田有香
図版作成：桜井勝志
装　丁：山之口正和

序章

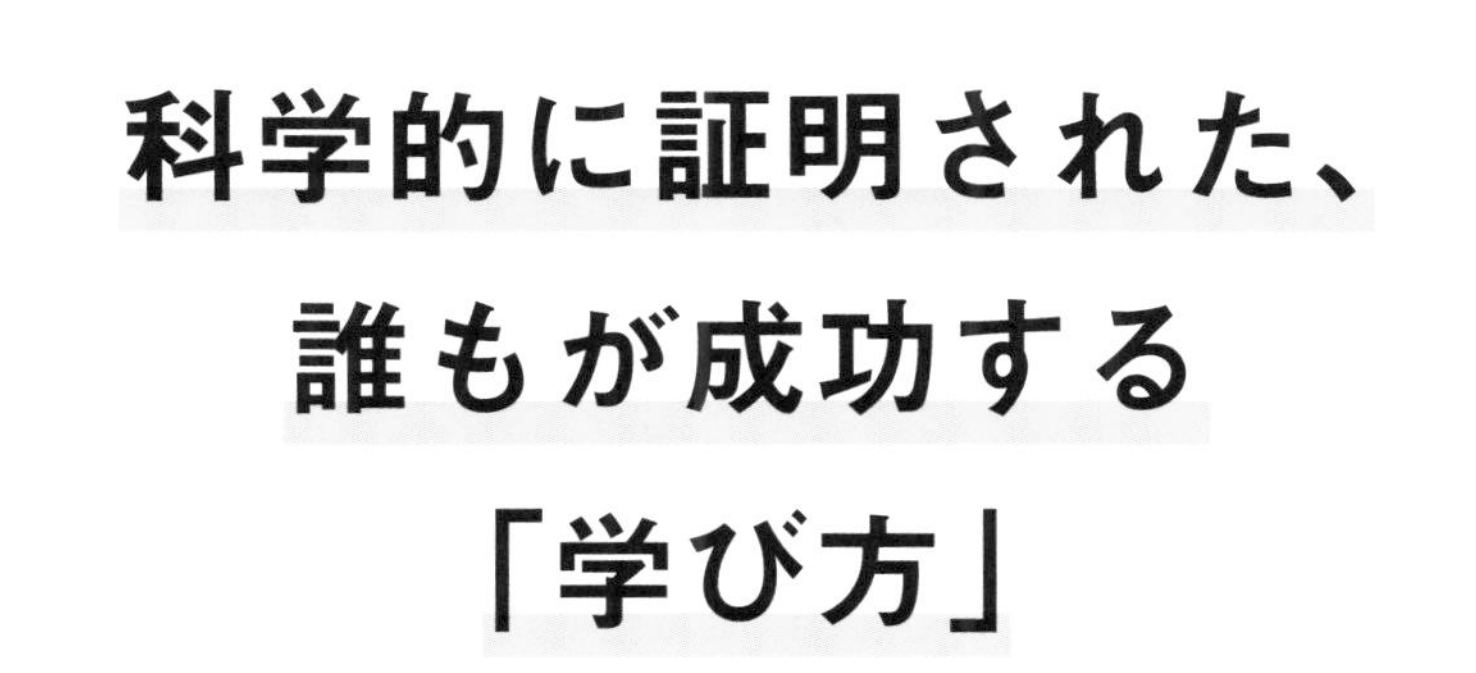

科学的に証明された、誰もが成功する「学び方」

「学び方」というと、よくわからない曖昧なものに思えるかもしれません。

学習といえば、皆で同じ教室に集まり、同じ教科書を開き、同じ教師の話を聞く。これが多くの日本人がイメージする学び方ではないでしょうか。

しかし、より効率的で効果的な学習法は、すでに科学的に証明されています。

「計画されたある一定の時間を投資すれば、効率的に期待通りの成果を得られる」という理論が確立されているのです。

「そんなことを言っても、結局は本人の努力や持って生まれた能力で、勉強ができるかどうか決まるんでしょ？」

そう考える人もいるかもしれません。しかし、それこそが非科学的な思い込みです。

すでに海外の教育界では、誰もが「できる人」になれるノウハウが明らかになっています。それが「インストラクショナル・デザイン」です。

特に大人になってからの学習は、「いかに自分に合った学び方をデザインするか」が結果を左右します。正しい学び方をすれば、誰もが優等生になれるのです。

この章では、日本ではあまり知られていないが、グローバルではスタンダードとなってきている、「誰もが成功する学び方」を紹介します。

大人が学習する目的はそれぞれ異なる

日本では長らく、「学習」といえば「集団学習」を意味しました。

学校や塾の授業も、大学の講義も、英会話スクールのレッスンも、生徒や受講生は大人数またはグループ単位で参加し、同じ教科書や教材を広げて、一人の教師から一律の指導を受ける。

これが日本における学習スタイルのスタンダードでした。

しかし、この方法に限界があることは、すでに多くの人が気づいています。

考えてみれば当たり前で、勉強する目的も教材や教師との相性もそれぞれ違うのに、全員が同じ学び方をしたところで、誰もが同じ結果を得られるはずがありません。

特に**大人の場合、学習の目的は千差万別**です。

学生なら、入試やテストのために勉強するケースがほとんどでしょう。しかし、社会人の場合、例えば英語を学ぶにしても、「海外赴任のため」「訪日外国人を案内するため」「ＴＯＥＩＣスコアが社内昇進の条件になったため」など、それこそ一人ひとりが異なるニーズを抱えています。

では、大人が最短最速で目標を達成するには、どんな学び方をすればいいか。

答えは明白で、**「自分自身のゴールを達成するために、個別最適化された学習プログラムをデザインする」**です。

つまり一人ひとりに合わせた学習なら、標準化された集団学習より、はるかに効率的であるということです。

個別学習の効果を証明する「ブルームの2シグマ問題」

これは私の個人的意見でも、単なる経験則でもありません。

すでに科学的に研究され、証明されている事実です。

この研究結果は「ブルームの2シグマ問題」と呼ばれ、米国の研究者であるベンジャミン・ブルームによって一九八四年に提唱されました。

この研究では、被験者となる学生を三つのグループに分けて、学習結果を比較・観察しています。

- 第一のグループ…教室での講義のみの学習方法
- 第二のグループ…教室での講義に加え、習得度アプローチを取り入れ、前の課題を習得しなければ次の課題へと進まない学習方法
- 第三のグループ…チューターの個別指導で学習する方法

その結果は、驚くべきものでした。

各グループの習熟度をテストによって測定し、点数の分布を示したのが次ページのグラフです。

教室での講義のみの第一グループよりも、習熟度アプローチによる第二グループは得点が標準偏差（σ＝シグマ）の分だけ良くなり、第三の個別指導の学習方法のグループでは、成績が2σ良くなっています。

そう言われても、どれだけ差があるかわかりにくいと思いますので、偏差値に置き換えてみましょう。例えば、学習者の平均を「偏差値五〇」とします。

すると平均より1σ上位にいる人は「偏差値六〇」となり、2σ上位にいる人は「偏差

ブルームの2シグマ問題

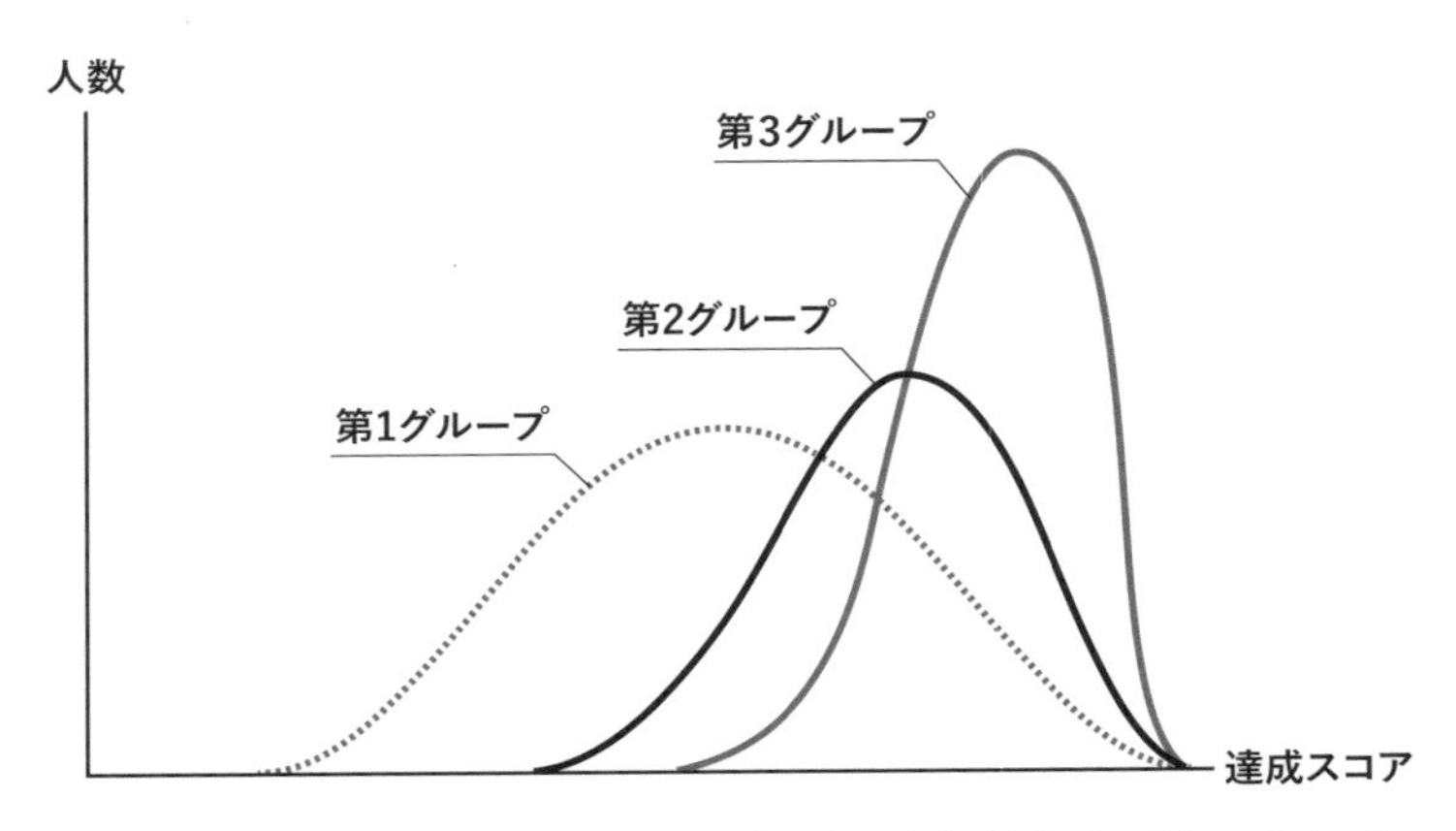

出典：Benjamin S.Bloom, "The 2 Sigma Problem:The Search for Methods of Group Instruction as Effective as One-to-One Tutoring" Educational Researcher,Vol.13,No.6(Jun.-Jul.,1984),pp.5（http://web.mit.edu/5.95/readings/bloom-two-sigma.pdf）をもとに筆者が作成

値七〇」となります。

つまり、第一グループ（教室での講義のみ）と第二グループ（習熟度アプローチ）、第三グループ（個別指導）の間には、それぞれ偏差値で一〇の差が生じたということ。第一グループと第三グループでは、偏差値で二〇の差がついたことになります。

そして、第三グループ（個別指導）のうち九八％の学生が、第一グループ（教室での講義のみ）の平均点を上回りました。

つまり一人ひとりに個別最適化した学習をすれば、九八％は平均以上の「できる人」になれるということです。

この研究結果が意味するものは何か。

それは**適切な学び方をすれば、生まれ持った能力や置かれた環境にかかわらず、誰もが「できる人」になれる**ということです。逆に学び方を間違えると、いくら勉強しても「できない人」になってしまうことも示唆しています。

学習時間に着目した「キャロルの時間モデル」

まだ半信半疑の人もいるかもしれませんので、もう一つの科学的根拠を紹介しましょう。

一九六三年に、言語学および心理測定学の専門家であるジョン・B・キャロルが提唱した「キャロルの時間モデル」です。

これは学校教育における子供たちの成績を分析した研究ですが、大人の学習にも当てはまります。

ごくシンプルにいえば、**「できるようになる／ならない（＝学習達成度）」は、その人の能力や資質によるのではなく、その人が「必要な学習時間に対して、実際にどれだけ時間をかけたか（＝学習率）」による**、というものです。これを式にすると、上のようになります。

$$\text{学習率（学習達成度）} = \frac{\text{学習に費やされた時間}}{\text{学習に必要な時間}}$$

$$\text{学習率（学習達成度）} = \frac{\text{学習可能時間} \times \text{根気強さ}}{\text{必要学習時間} \times \text{指導の質} \times \text{理解能力}}$$

キャロルはまた、この「学習率」に影響を与えるものとして、次の五つを挙げています。

●分子「学習に費やされた時間」に影響を与えるもの
・学習機会（学習可能時間）
・根気強さ（実際に学習に費やした時間の割合）

●分母「学習に必要な時間」に影響を与えるもの
・必要学習時間（最適な指導条件のもとで、与えられた課題を学習するのに必要な時間）
・指導の質（＊数字が小さいほど質が高い）
・理解能力（＊数字が小さいほど能力が高い）

これを整理すると、上の計算式で表すことができます。
一見するとわかりにくい理論かもしれませんが、あえて紹介したのは、これらのうち**「必要学習時間」**と**「学習可能時間」**に注目してほしいからです。

日本では、「勉強ができるか、できないか」は本人の理解力や根気強さで決まると考えられています。また教師の指導の質も、本人の理解度や成績を左右すると認識されています。

もちろんこれらの要素も、学習達成度に影響を与えないわけではありません。

ただし、それだけでは重大なことを見落としてしまいます。

それは**「ゴールを達成するために必要な学習時間はどれくらいで、実際に学習に使える時間はどれくらいなのか」**です。

まずは「必要学習時間」を調べる

「キャロルの時間モデル」と呼ばれていることからもわかるとおり、このモデルで最も重要なポイントは「時間」に着目している点です。

一定のスキルや知見を身につけるために、標準的にはどれくらいの時間が必要かは、調べればすぐにわかります。

第4章で詳しく説明しますが、例えば宅建士の資格を取得するなら、「三〇〇時間から四〇〇時間」が目安とされています。これは過去のデータにもとづく平均値であり、皆さんも検索すれば確認できるはずです。

よって「宅建に合格する」というゴールを達成したいなら、受験日までにどうやってこの必要学習時間を確保するかを計画しなければいけません。三〇〇時間の学習が必要とわかっているのに、一五〇時間しか学習できなかったら、学習達成度は五〇％に留まります。当然、試験に合格するのは難しいでしょう。

仕事や家庭の状況によって、学習に使える時間は人それぞれです。また半年後の合格を目指すのか、一年後の合格を目指すのかによっても学習計画は変わってきます。

特に忙しい大人が最短最速で結果を出したいなら、**まずは「必要学習時間」を把握し、どうすれば自分のスケジュールの中で一〇〇％の「学習可能時間」を配分できるかをプランニングすることが必須**です。

いくら学んでもマスターできない「英語学習漂流者」は、なぜ生まれるか

ところが日本では、標準化された一律の学習が根付いていたため、ほとんどの人はそも

そも個別の目的に応じて学習計画を立てるという発想がありません。

「英語を話せるようになりたい」と思ったら、とりあえず英会話スクールに申し込む。いつまで通うかといえば「話せるようになるまで」、どれくらいの頻度で通うかといえば「価格も手頃だし、週1回コースにしておくか」というのがよくあるパターンでした。

つまり**ほとんどの人は、なんとなく学習を始めてしまう**わけです。

しかし、**これでは目的地もわからないまま、あてどのない船旅に出るようなもの。結局はどこにも辿**（たど）**り着かず、広大な海で漂流を続けるだけ**です。


なお、日本人が英語を習得するには、一〇〇〇時間の学習が必要であることがわかっています。

私たちが提供する英語習得プログラムのＴＯＲＡＩＺでは、「一年で英語をマスターする」と期限を設定し、一人ひとりが「英語で自社製品についてプレゼンする」「海外企業との商談を担当する」「外国人の部下をマネジメントする」といった明確なゴールを設定した上で、一年で一〇〇〇時間の学習を実行するための計画を立てます。

だから一年後には、確実にゴールへ辿り着けるのです。

日本人の多くが「英語を話せるようになりたい」と思いながら、現実には叶えられていないのは、決して能力や根気強さが足りないからではありません。

ただ単に、**「時間に着目して個別最適化された学習プログラムをデザインする」という作業が抜け落ちているだけ**です。

「キャロルの時間モデル」の発表以降、米国の教育界では、「教えて理解できないのは生徒の責任」という考え方から、「標準とする時間で生徒に学習目標を達成させるための指導はどうあるべきか？」という考え方で学習プログラムを設計・運用するようになり、学校や教師側の学習プログラム設計・運用についての責任が問われるようになりました。

それにより、あらゆる教育の現場で「標準とする学習時間をかければ、どのような課題であってもすべての生徒が習得できる」という前提で取り組むのが当たり前となっています。

これだけ科学的な根拠が揃っているのですから、日本でも「正しい『学び方』をすれば、誰もが『できる人』になる」と認識を改めるべきときがきているのではないでしょうか。

学習を個別最適化する「インストラクショナル・デザイン」

では、個別最適化された学習プログラムをどのように作ればいいのか。

実はそのための科学的な手法も、すでに確立されています。

それが「インストラクショナル・デザイン」です。

これは「何を（What）できるようにするか」を明確にした上で、「どうやって（How）できるようにするか」を体系的に考えることにより、効果的・効率的・魅力的な学習プログラムをデザインするための方法論です。

米国では公教育でも用いられており、様々な学習の場で広く取り入れられています。日本でも二〇〇〇年代から、eラーニングの開発手法として注目を集めるようになりました。

インストラクショナル・デザインの特徴は、「学習目標」「学習内容」「評価」の三つの基本要素を相互補完的に組み合わせることです。

学習目標を立て、学習内容を決めて実行し、テストやアンケートなどの評価方法で学習達成度を測定する。このサイクルをぐるぐる回しながら改善していくのが基本的な構造で

インストラクショナル・デザインの基本3要素

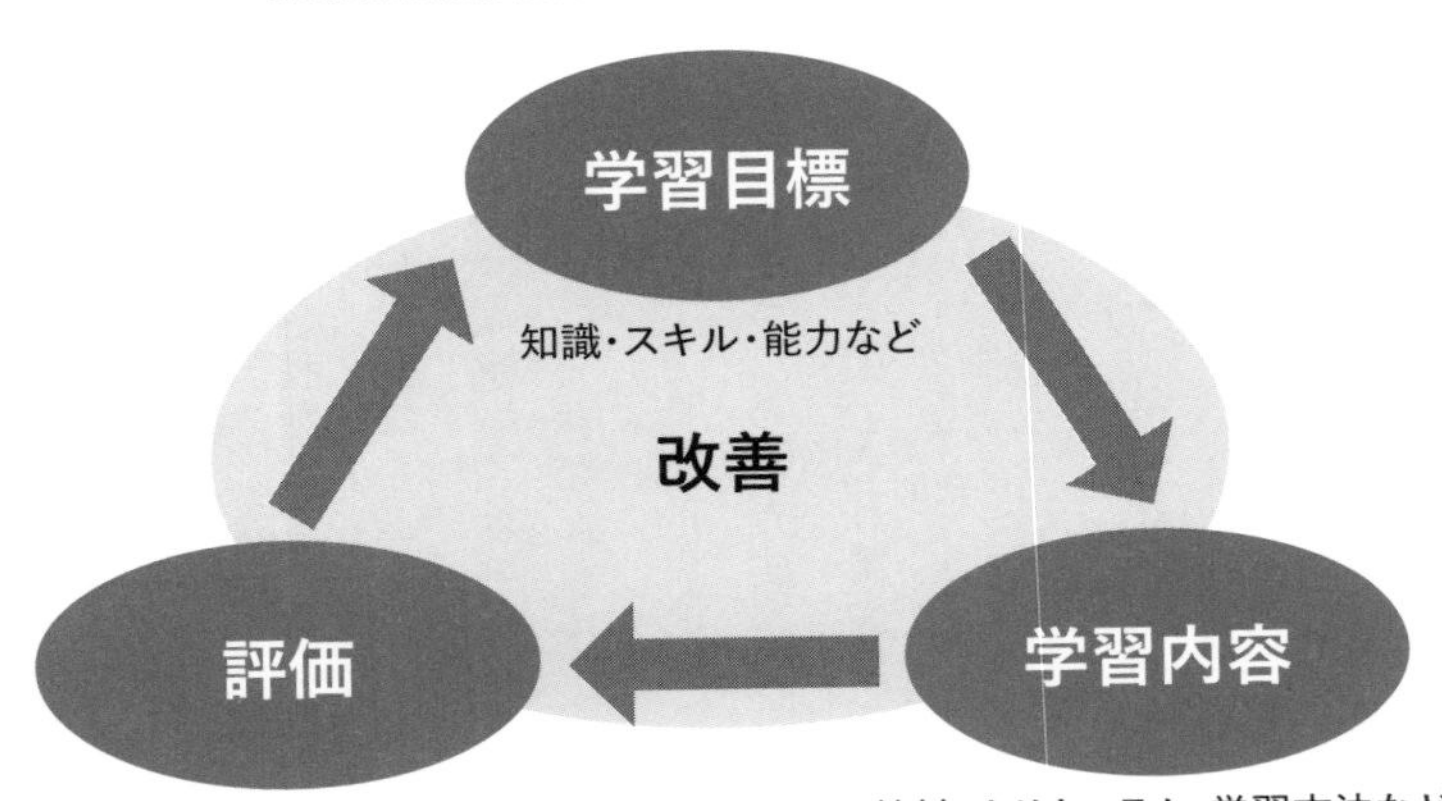

す。

これは要するに、**「ビジネスにおけるPDCAを学習に当てはめたもの」**です。

皆さんも普段の仕事では、Plan（計画）、Do（実行）、Check（検証）、Action（改善）を当然のように繰り返しているでしょう。さらにはその前提として「Goal（達成したいこと）」があるはずです。

教育プログラム開発では、さらに深掘りした改善手法が確立されていて、こちらは「ADDIEモデル」と呼ばれます。こちらは「Analysis（分析）」「Design（設計）」「Development（開発）」「Implementation（実施）」「Evaluation（評価）」の頭文字をとったものです。

こちらは第2章で詳しく説明します。

満点をとれないテストは、学習デザインが間違っている

インストラクショナル・デザインによる学習と、従来の日本的な集団学習との決定的な違いは、**「学習の結果は本人の資質によるものではない」**という考え方を前提としていることです。

つまり、学習しても期待するパフォーマンスを出せなかった場合、それは本人の責任ではなく、学習デザインそのものが適切ではなかったと考えるのです。

日本の人たちはびっくりするかもしれませんが、インストラクショナル・デザインでは「テストで一〇〇点をとって当たり前」と考えます。

自分自身のゴールである学習目標が明確で、そのために個別最適化した学習プロセスを修了した人は、必要な内容をすべてマスターしているので、習熟度を測定するテストでは満点をとれて当然というわけです。

ところが日本のテストは、なぜか優劣をつけるために作られ、授業では教えていない範囲や難易度の高い応用問題が出題されます。

解けなくて当然の問題を出されているのに、テストでバツをつけられて、「できない人」のレッテルを貼られるわけです。そして「一〇〇点をとれないのは、学習者の意欲や能力に問題がある」と考えます。

一方、インストラクショナル・デザインでは「一〇〇点をとれないのは、学習プロセスの設計が間違っている」と理解します。責められるべきは学習者ではなく、学習プロセスやテストを作った人間だということです。

そもそもテストのあり方が根本的に違っていて、いわゆる日本的学習では、あくまでその時点で「学習者ができること／できないこと」を測定するイベントにすぎません。それに対し、インストラクショナル・デザインにおけるテストは、「その学習プロセスで想定されているゴールに達しているか」を測るものであり、デザインしたとおりに学習を進めていれば、誰でも一〇〇点をとれるものとなっています。

少し意地悪な言い方をすれば、日本のテストは劣等生を作るためのものであり、インストラクショナル・デザインのテストは全員が優等生になれるものと言えます。

大学受験のように受け入れ人数が決まっていて、人数をしぼるためにテストをするのであれば、日本型テストを実施するのも致し方ないかもしれません。

しかし大人の学習では、他人との比較で優劣や順位をつける必要はないはずです。重要なのは「本人が設定したゴールを達成できたかどうか」でしかありません。

よく**「学生時代に成績が悪かったから」と、自分は勉強ができないと決めつけている人がいますが、それはまったくの誤解**ということです。

学生時代の成績はまったく関係ない

実際にＴＯＲＡＩＺでは、「中学の頃から英語が大の苦手」という人や、「勉強ができなかったので大学進学はあきらめた」という人でも、一年間の学習で自分が目指すレベルの英語力を身につけています。

象徴的な事例を一つご紹介しましょう。

あるとき、一人の男性がＴＯＲＡＩＺにやってきました。

海外で飲食店を何店舗も経営している人物で、ビジネスの才覚があるのは明らかでしたが、とにかく英語が苦手とのこと。本人いわく「元ヤンキー」だそうで、学校の勉強はほとんどしたことがなく、中学一年レベルの単語も文法もわからない。それどころかローマ字を読めるかも怪しいくらいでした。

それでも、現地の外国人社員に対して、通訳なしで直接語り掛けたいという思いから、英語を学ぼうと決意したそうです。

結論から言えば、その男性は一年後、全社員の前で見事に英語のスピーチを成功させました。一年前には中学一年レベルの単語もわからなかった人が、ネイティブとコミュニケーションできるくらい流暢(りゅうちょう)な英語を話してみせたのです。


正しい学び方さえ知れば、誰でも英語を話せるようになる。

これまでに英語をマスターした六〇〇〇人の受講生が、そのことを証明しています。

勉強ができないのは、あなたの能力の問題ではない。

計画がないことが問題なのである。

そのことをもう一度、強調しておきます。

誰でも学習をデザインできる「七つのステップ」

「インストラクショナル・デザイン」と言われると、何やら難しい理論のように感じるかもしれません。

しかし、先ほど紹介したように、基本的な構造はビジネスのＰＤＣＡと同じです。ビジネスでは、最短最速で着実に結果を出す手法としてＰＤＣＡの実践が常識になっているのに、なぜ学習では同じことをやらないのか。

考えてみれば不思議です。

事業計画や営業計画を立てて実行し、売上や集客数などの数字で効果を検証しながら、より良いやり方に改善していく。このサイクルを回せば着実に目標を達成できることは、社会人なら誰もが経験値として知っているはずです。

また計画を立てる際に、時間という要素を無視できないことも理解しているでしょう。ビジネスのプロジェクトでは、「納期・品質・コスト」が決まっています。限られた時間と予算の中で、いかに効率的・効果的に、期待される品質のアウトプットを出すか。

それを計画・実行するのがプロジェクト・マネジメントです。

学習もまったく同じです。使える時間とお金や労力が限られる中で、「宅建に合格する」「英語でプレゼンする」といったアウトプットを出さなければいけません。

いわば**学習デザインとは、「学び方のプロジェクト・マネジメント」**なのです。
社会人ならむしろ馴染(なじ)みやすい方法であり、基本的な仕組みさえ理解すれば、誰もが今日から取り入れることができます。

第1章からは、具体的な学習デザインの手法を手順ごとに解説します。

TORAIZでは、インストラクショナル・デザインにもとづく「七つのステップ」で学習を進めていきます。これに沿って進めれば、確実にゴールを達成できます。

もちろん英語だけでなく、資格試験や大学受験、日々の仕事で必要となるインプット・アウトプットまで、あらゆる学びに応用が可能です。

- **ステップ１：人生計画を立てる**
- **ステップ２：学習目標をクリアにする**
- **ステップ３：自分の学習スタイルを診断する**
- **ステップ４：学習ロードマップを作る**
- **ステップ５：学習スケジュールを立てて習慣化する**
- **ステップ６：フィードバック・サイクルを回す**

・ステップ7：仕事で学びを活用する

TORAIZではこれらのプロセスをコンサルタントがサポートしますが、方法論さえ理解すれば、読者の皆さんが自分でプログラムを作り、独学で学習を進めることが可能です。

なお「七つのステップ」で考えたり、明らかにしたりしたことは、紙に書き出すことが大事です。

それが自分自身との約束になり、紙を見るたびに「ここに書いたことは必ずやり遂げる」というモチベーションにつながります。

TORAIZで使用しているフォーマットも掲載しますので、ぜひこれらのシートにあなたの学習デザインを書き出してください。

それではさっそく、ステップ1から説明していきましょう。

STEP1

人生計画を立てる

第1章

この章では、「学習計画」の前提となる「人生計画」の立て方を解説します。

人生計画とは、すなわち「自分はどんな人生を送りたいのか」をはっきりさせることです。一見すると無駄なステップに思えるでしょう。でもこの作業をしない限り、学習のゴールは見えてきません。

学習とは、あくまで自分が思い描く人生やキャリアを実現するための手段にすぎません。例えばＴＯＥＩＣを受験するなら、「昇進試験を受けるのに必要な社内規定のスコアを達成して、部長になりたい」「社内選抜をクリアして、海外に赴任したい」といった人生のビジョンがあるはずです。

他にも「会計士の資格を取って、一人のプロフェッショナルとして独立したい」「簿記資格を取得して、家族のために給与をアップしたい」といった、「勉強のその先にあるもの」が何かしらあるはずです。

自分が何を成し遂げたいのかを明確にするから、学習目標が明らかになり、ゴールを目指して、挫折することなく勉強を続けられるのです。

ソフトバンク創業者の孫正義社長も、十代の頃に人生計画を立てていました。

では、人生計画はどうやって立てればいいのか。それを詳しく解説しましょう。

「学習計画」の前に「人生計画」がある

学習デザインのファーストステップは、「人生計画を立てる」。つまり、ライフデザインを考えることです。

「勉強をするのに、なぜ人生？　そんなことより、早く学習計画の作り方を教えてくれ！」

そう思う人もいるでしょう。

しかし、このステップを飛ばして勉強を始めても、意味がありません。

なぜなら、目指すゴールが明確にならないからです。

そもそも皆さんは、なぜ学習するのでしょうか。

「英語を身につけたい」と考えたとしても、それ自体がゴールではないはずです。

「ビジネスに必要な英語力を身につけて、海外営業部門で働きたい」

「ネイティブと意思疎通できる会話力を習得して、給与の高い外資系企業に転職したい」

「外国人とコミュニケーションできるようになって、海外でお店を開きたい」

このように、英語学習の先には「仕事やキャリアで叶えたいこと」があるはずです。そのゴールを達成する手段として学習するのであって、勉強そのものは目的ではありません。

さらに「なぜそれを叶えたいのか」と考えると、根底には「自分はこんな人生を送りたい」というビジョンがあるでしょう。

自分が思い描く人生を歩むために、今この勉強をすることが必要なのだ。本人がそう納得しているからこそ、高いモチベーションを維持して、着実に成果を出せるのです。

裏を返せば、「自分はどんな人生を送りたいのか」が曖昧な人は、勉強も挫折しやすくなります。

「会社からTOEICを受けろと言われたから」「周囲もやっているから」といった理由でなんとなく勉強を始めても、そもそも自分がどこを目指しているのかわからないのですから、永遠にゴールには辿り着けません。

序章でも話した通り、〝なんとなく〟始める学習ほど無駄なものはないのです。

「学習計画」の前に「人生計画」があるから、そのための手段として学習が意味を持つ。

まずそのことを理解しなければ、いくら学習しても、結局は何も成し遂げずに人生を終えることになります。

孫正義社長を成功に導いた人生計画

人生計画を立てることが、いかに重要か。
それを教えてくれるのが、ソフトバンク創業者の孫正義社長です。
孫社長が十九歳にして、「人生五十年計画」を立てたことはよく知られています。

二十代で、業界に名乗りを上げる。
三十代で、軍資金を貯める。
四十代で、ひと勝負して大きな事業に打って出る。
五十代で、事業をある程度完成させる。
六十代で、事業を次の経営陣に引き継ぐ。

この人生計画はすっかり有名になりましたが、実は孫社長は学習計画も立てていました。

日本の高校を中退して渡米し、カリフォルニア大学バークレー校でコンピュータを学んだことが、のちのソフトバンク設立につながったのですが、孫社長は学習についても明確なゴールを定めていたのです。

まだ十代の少年に学習計画のアドバイスをくれたのが、日本マクドナルド創業者の藤田田(でん)氏でした。

高校時代に藤田氏の著書を読んで感動した孫社長は、十六歳のときに上京して日本マクドナルド本社を訪ね、社長に会いたいと頼み込みました。藤田氏は時間がないと断ったものの、その少年が一週間続けて毎日会社に通ってきたため、熱意にほだされて会うことにします。

そのときに交わされた会話を、藤田氏は自著で次のように回想しています。


彼は、「わたしは九州鳥栖の出身で、これからアメリカに行って勉強したいのですが、なにを勉強したらいいでしょうか。自動車とか飛行機とか石油とか、学びたいことはいろいろあるのですが」といった。

わたしは「今はこの部屋くらい大きなコンピュータを使っているが、遠からずハンディなものになるだろう。アメリカに行って勉強するならコンピュータしかない。コンピュータだけ勉強していらっしゃい」とアドバイスした。

「わかりました」といって少年は、アメリカでコンピュータを勉強して帰国、日本ソフトバンクという会社を創った。


（藤田田著『勝てば官軍（新装版）』より）


これが孫社長にとって、「アメリカで最先端のコンピュータを学び、自分で事業を興す」という学習のゴールがはっきりと見えた瞬間でした。

坂本龍馬を尊敬していた孫社長は、「世に生を得るは事を成すにあり」という龍馬の言葉に共鳴して「自分も何か大きなことを成し遂げたい」という人生のビジョンはあったものの、まだ高校生ですから「では何をやるか」「そのために何を学ぶべきか」は模索中だったのでしょう。

それが藤田氏の言葉によって明確化され、「人生五十年計画」へとつながったのです。

留学中の孫社長は「間違いなく世界で一番勉強した」と振り返るほど猛勉強したそうですが、それも「人生計画を実現するには、今この勉強が必要なのだ」と確信していたからです。

もし学習のゴールを決めず、「とりあえず留学して有名大学の学歴が得られればいい」という程度の動機だったら、ソフトバンクを起業することも、一代で日本を代表するテクノロジー企業へ育て上げることもできなかったはずです。

「登る前に山を決めろ」

私がソフトバンクにいた頃、孫社長から繰り返し言われたことがあります。

「登る前に山を決めろ」

孫社長いわく、多くの人は「どの山を登るか」を決めないまま、やみくもに歩き出す。

だが、自分がどの山を目指しているかわからないので、どんなに速く歩いても、山の裾野（すその）で同じ場所をぐるぐる回り続けるだけで、結局はどの山にも登ることができない。

「**最初に『目指す山＝ゴール』をはっきりさせろ。そうすれば、頂上への最短ルートも見えてくる**ので、どの道をどう歩けば効率的かもわかる。だからどれほど高い山でも、必ず最速で頂上に辿り着けるのだ」

そう何度も聞かされたものです。

つまり孫社長は**「まずゴールを設定しなければ、そこへ向かうための計画も立てられな**

いし、結局は何も得られない」と教えてくれたのです。

孫社長が世界的な経営者になれたのは、単に頭が良かったからとか、行動力があったからではありません。

人生計画があり、自分が将来達成したいゴールから逆算して必要な学びを重ねたから、大きな成功を収めることができたのです。

なぜ留学しても英語を話せないのか

この話からわかるとおり、人生計画と学習計画はセットであり、この両輪があるからこそ、学習のゴールも明確化します。

ところが日本人は、ゴールを設定するのが苦手です。

日本で学習のゴールといえば、高校や大学の入試に合格することです。最近は就職活動で有利になるために勉強する大学生も増えていますが、いずれにしても、社会に出た後はゴールを見失ってしまう人がほとんどです。

そもそも入試や入社試験にしても、「いい学校を出て、いい会社に入る」という親や先生が決めたレールに乗るために与えられたゴールであり、「その先に自分はどんな人生を送りたいのか」という人生計画に紐(ひも)づいた目標ではありません。

つまり**日本人の多くは、自分の頭で考えてゴール設定をした経験がないまま、大人になる**わけです。だからせっかく学びの機会があっても、自分の人生をより良くするために役立てることができません。

日本人の学習失敗パターンとしてよくあるのが、「留学したのに英語を話せない」「英会話学校に通ったのに英語を話せない」です。

TORAIZのコンサルタントは留学経験者が多いのですが、誰に聞いても「留学で英語を話せるようになる日本人は、間違いなく五割以下」と口を揃えます。留学先でも大半は日本人同士でつるんでいて、ろくにネイティブと会話しないまま帰国するためです。これも「留学で英語を身につけて、何を叶えたいのか」というゴールがないからです。

英会話学校も同じです。

私はTORAIZを始める以前、ある英会話学校を買収したことがあります。英語教授法を習得したレベルの高い有資格者を講師に揃えていたので、これなら日本人も英語をマスターできるだろうと考えたからです。

ところが、私が外国人講師に「どれくらい通えば生徒さんは英語を話せるようになりますか?」と質問したところ、「話せるようにはなりませんよ」と衝撃の答えが返ってきたのです。

理由を尋ねると**「日本人は何の目的もなく、ただ週に一度レッスンを受けるだけ。それでは英語が身につくはずはない」**とのことでした。

講師の多くは他のアジア諸国でも指導経験があったので、日本以外ではどうだったかを聞いてみました。例えば子ども向けのレッスンの場合、中国や韓国では「小学四年までに英会話を習得する」「中学入学から二年間で英語を話せるようになる」といったゴールを設定し、毎日通うケースがほとんどだそうです。

これらの国は日本以上に学歴による格差が激しいので、親は子どもの受験が近づいたら勉強に専念させたい。ただし、将来いい仕事に就くには英語力が必須なので、受験勉強が始まるまでに会話に困らない程度にしておく必要がある。

そこで明確なゴールを設定し、限られた期限内で英語をマスターするために、子どもを毎日レッスンに通わせるのです。本人も「受験勉強が本格的に始まるまでに話せるようになろう」と思ってレッスンに集中するので、着実に英語をマスターできます。

子どもの例を挙げましたが、他の国では大人の場合も「いつまでに○○がしたいから、毎日通う」とそれぞれに学習計画を作った上でレッスンに通うのが当たり前とのことでした。

ゴールが明確か、曖昧か。

その違いでこれほど決定的な差が生じるのです。

勉強したのに何も得られないとしたら、これほどもったいないことはありません。

学習にはコストがかかります。

人生において貴重な「時間」と「お金」を投資するのですから、本来ならできるだけ多くの利益を得たいと考えるのが当たり前です。

ところが、ビジネスや金融投資では当然のように考えることが、学習では頭から抜け落ちてしまいます。

特に、留学のように高いお金がかかる学習法を選んだ場合、投資対効果（ＲＯＩ）は限りなくゼロに近づいてしまいます。「英会話学校に十年通っているのに、いまだに英語が話せない」というケースも同様です。

繰り返しますが、学習の目的は「仕事やキャリアで叶えたいこと」を実現するためであり、ひいては自分が思い描く人生を歩むためであるはずです。

だからこそ、「ステップ1」として「人生をデザインする」というプロセスが不可欠であることを、ぜひ理解していただきたいと思います。

ロールモデルが人生計画の指針になる

とはいえ、前述の通り、日本の人たちはライフデザインを描くことにも、それに連動した学習のゴールを設定することにも慣れていません。

「いきなり人生をデザインしろと言われても、どうすればいいかわからない」

そんな戸惑いがあって当然です。

そこでお勧めしたいのが、「ロールモデル」を見つけることです。

皆さんにも「あんなふうになれたらいいな」と思う人がいるのではないでしょうか。

それは身近な上司や先輩かもしれないし、有名な経営者や起業家かもしれないし、ニュースや書籍でその活動や生き方を知って感銘を受けた人物かもしれません。

どんな人でもいいので、具体的な対象として自分がお手本にしたいと思える相手がいたら、それがあなたのロールモデルです。

ロールモデルが見つかれば、「その人が何を学んだのか」「どんな経験やキャリアを積んできたのか」を知ることで、人生計画や学習計画をどのように立てればいいかも見えてきます。

先ほどエピソードを紹介した藤田田氏は、孫社長にとってロールモデルでした。

英語が堪能(たんのう)で、米国からマクドナルドというビジネスモデルを日本に持ち込み、ビジネスの世界で大成功を収めた。藤田氏の著書を読んだ孫社長は「自分もあんなふうになりたい」と考えたのでしょう。

だから自分がこれから学ぶべきことについて、藤田氏に意見を求めに行ったのです。

皆さんも**ロールモデルを見つけたら、その人の経歴を調べたり、本人に直接アドバイスをもらいに行ったりする**べきです。

「あなたが今の私の年齢の頃には、何を勉強しましたか？」

「その勉強では、どんなことが難しかったですか？」

「その勉強をして、どんな良いことがありましたか？」

こうした質問をすることで、「この人のようになるには、どのタイミングで何を学べばいいか」がわかります。

同じ会社の上司や先輩なら、その機会はいくらでも作れます。他の会社や業界で働いている面識がない人でも、今はＳＮＳなどを通じていくらでもコンタクトできる時代です。そのやりとりを通じて「自分の人生やキャリアについてアドバイスをもらいたい」と告げれば、実際に会ってもらえることも珍しくありません。

藤田氏がまだ高校生だった孫社長に面会したように、何かを成し遂げた人ほど、自分が得た学びや知見を多くの人と共有し、より良い社会や人々の幸せを実現したいと考えるものだからです。

私も自分の著書を読んだ学生や若手のビジネスパーソンから連絡をもらうことが多く、できるだけ時間を作って会うようにしています。

「今の仕事でなかなか成果を出せず悩んでいるが、何を勉強すべきか」「将来起業したいが、学生のうちに何をやればいいか」といった相談を受けることもよくあります。

それに対して、私が孫社長のもとで成果を出すために実践してきたことや、起業してから役立った経験などを伝えると、それが本人の人生計画や学習計画を具体化する材料になります。その後、「営業成績でトップになりました」「起業したので顧問になってくれませ

人生・学習計画シート

年　月　日

西暦	自分の年齢	マイルストーン	ロールモデル	将来の自分自身のイメージ	学習のゴール
2021	25				TOEIC L&R 700
2022	26				TOEIC L&R 800
2023	27	海外部門への異動	沢田先輩	海外からのバイイングを動画チャットでこなしている。	VERSANT TEST 52
2024	28				
2025	29				
2026	30				社内マネージャー試験合格
2027	31				海外大学オンライン講座修了
2028	32	海外支社マネージャー	柿本部長	海外で現地の部下を英語でマネジメントしている。	社内グローバル研修修了
2029	33				簿記3級合格
2030	34				簿記2級合格
2031	35	起業または転職	田中社長		

んか」といった連絡をもらうことも多く、私のアドバイスが役立ったのだと実感することもしばしばです。

皆さんも、「ライフデザインとか言われても、よくわからない」と思ったら、ロールモデルを見つけるのが一番の近道です。

「自分はこんな人生を送りたい」というビジョンがはっきりすれば、次章から紹介する「ステップ2」以降のプロセスも、スムーズに進むはずです。

人生計画を立てたら、右の**「人生・学習計画シート」**に記入しましょう。

年齢ごとのマイルストーンとお手本にしたいロールモデル、将来の自分自身のイメージを整理できます。

一番右の項目「学習のゴール」については、「ステップ2」で考えますので、この段階では空欄で構いません。学習のゴールが明らかになったら、この項目を埋めてシートを完成させてください。

STEP2

学習目標をクリアにする

第2章

人生計画を立てなければ、学習計画を立てることもできない。

そのことは第1章でよく理解していただけたかと思います。

では、具体的に学習計画を立てるには、何から始めればいいのでしょうか。

それは「学習のゴール＝学習目標」を明確にすることです。

「学習目標？　TOEICで八〇〇点をとることに決まってるでしょ!?」

そう思う人もいるでしょう。

でも、本当にそれは正しい目標でしょうか。

「ステップ1」で立てた人生計画は、それを実現すれば達成できますか？

人生の目標と学習の目標を混同したり、勉強すること自体が目的になってしまうことは珍しくありません。

この章では、学習目標をはっきりさせる方法を解説します。

ポイントは、「テスト」を活用すること。これにより、学習目標を見える化できます。

また目指すゴールが明らかになったら、ぜひ周囲の人たちに宣言しましょう。

この章を読めば、学習目標をクリアにする重要性をわかってもらえるはずです。

ゴールを明らかにする「学習目標のABCDモデル」

「ステップ1」で人生をデザインできたら、次は「学習のゴール＝学習目標」を明確にする作業に移りましょう。

そのために役立つのが、序章で少し触れた**「ADDIEモデル」**です（66ページの図参照）。

これは「Analysis（分析）」「Design（設計）」「Development（開発）」「Implementation（実施）」「Evaluation（評価）」の頭文字をとったもので、ビジネスにおけるPDCAサイクルを教育に当てはめたものです。アメリカで米軍の教育プログラム開発のためフロリダ州立大学で考え出され、米国ではすでに一九八〇年代から一般化しています。

特に重要なのが、最初のプロセスである「分析」で、これが「学習のゴールをどこに設定するか」をクリアにする作業となります。

ゴールを明らかにする手法も、すでに確立されています。

一九九七年に米国の教育工学研究者であるロバート・メーガーが提唱した**「学習目標のABCDモデル」**です。

ADDIEモデル

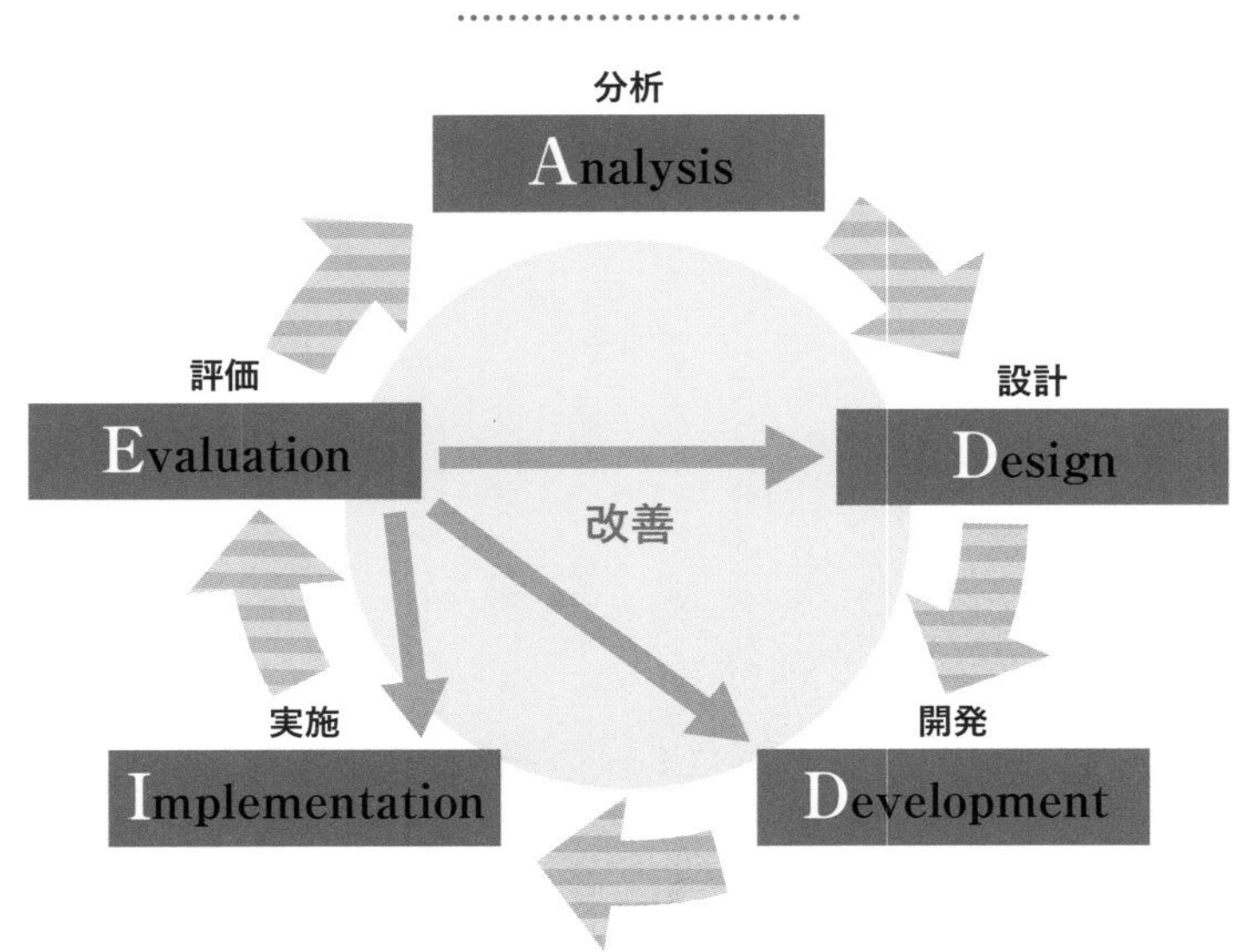

①Audience（プログラムを受ける人）：誰がその行動をするのか？

②Behavior（行動）：学習者は何ができるようになるべきか？ その行動とは何か？

③Condition（条件）：どのような条件なら学習者がその行動を実行できるか？

④Degree（程度）：その行動はどの程度できなければならないか？ 習熟度はどの程度か？

例えば独学で英語を勉強する場合なら、このモデルによって次のように学習目標を明確化します。

・プログラムを受ける人：自分自身
・行動：英語でプレゼンする
・条件：スライドを見ながら行う
・程度：一分につき一二〇ワードの速さで話す

こうしてＡＢＣＤをそれぞれ定義することで、ゴールがクリアになります。

「英語を話せるようになる」といったふわっとしたレベルではなく、これくらい具体的に設定しなければ、学習目標とは言えません。

まずはこのモデルに沿って、自分にとってのＡＢＣＤを考えるところから始めてください。

自分に問いかけてほしい「三つの質問」

とはいえ、自分一人でＡＢＣＤを埋めていくのが難しいと感じる人もいるでしょう。

そこでＴＯＲＡＩＺでは、どのように受講生の学習目標を明らかにしているのかを紹介します。

「英語を学ばなければいけないとは思っているものの、何を目指して、どんな学習をすればいいのかわからない」。そんな曖昧な状態で相談に来る人も多いので、まずはコンサルタントが面談して、その人のゴールを定義していきます。

と言っても、コンサルタントが質問することは、大きく二点に集約できます。

【質問その1】「あなたはどうなりたいのですか？」
【質問その2】「それはどうすればなれますか？」

あなたもこの質問を自分自身に投げかけてみてください。

一つめの質問は、「ステップ1」で人生計画を明確にした人なら、すぐに答えられるでしょう。さらに二つめの質問をすることで、学習目標とすべき「行動」「条件」「程度」が見えてきます。

例えばTORAIZでは、こんな事例がありました。

◉某証券会社の部長の場合

質問その1に対しては、「シンガポールの支店長になりたい」とはっきりした答えが返ってきました。本人は「だから金融に関する英語をマスターしたい」と言います。

しかし、質問その2を投げかけると、じっと考え込んだ末に「そう言われてみると、支店長として部下をマネジメントする立場になるのだから、人を動かしたり、メンバーをモチベートするための英語を身につけた方がいいかもしれない」と答えました。

そこで、「学習目標のABCDモデル」は次のようになりました。

- プログラムを受ける人：自分自身
- 行動：外国人の部下を指導・評価する
- 条件：約五〇人の部下に対して行う
- 程度：ネイティブと仕事やキャリアについて意思疎通できる

◉某メーカーの若手社員の場合

質問その1に対しては、「海外営業部に行きたい」と答えました。

現在は国内市場の営業部にいるが、社内では海外市場の担当チームが花形なので、このままくすぶっているのは嫌だとのことでした。

そして本人は、「英語が話せることを証明したいので、TOEIC八〇〇点を目指したい」と言います。

ＴＯＥＩＣには、リスニングとリーディングのテストである「TOEIC Listening & Reading Test」と、スピーキングとライティングのテストである「TOEIC Speaking & Writing Tests」などがありますが、一般的に「ＴＯＥＩＣ」と呼ばれるのは「TOEIC Listening & Reading Test」です（本書でも、単に「ＴＯＥＩＣ」と記述する場合は、「TOEIC Listening & Reading Test」のことを指しています）。

しかし、ＴＯＥＩＣの点数が高いからといって、必ずしも英語のスピーキング力が高いとは限りません。ＴＯＥＩＣ八〇〇点でも英語が十分に話せない人はいます。

もし社内で「海外事業部に配属されるにはＴＯＥＩＣ八〇〇点以上が必要」と決まっているなら、それを学習目標にするのは間違っていません。しかし、質問その2をすると、「英語の面接をクリアすれば異動できる」とのことでした。

そこで「学習目標のＡＢＣＤモデル」は次のようになりました。

- プログラムを受ける人：自分自身
- 行動：社内面接に合格する
- 条件：ネイティブの部長と1対1で三〇分間会話する

・程度：自分のキャリアや志望動機について質疑応答ができる

テストで目標を「見える化」する

このように、「ADDIEモデル」の「分析」によって、学習目標となる「行動」「条件」「程度」が明らかになりました。

するとここで、新たな疑問が湧いてくるのではないでしょうか。

「この目標を達成できたかどうか、どうやったら確認できるんだろう？」

例えば、「英語で一分につき一二〇ワードの速さで話す」というスピードだけなら、ストップウォッチ片手に測ることができるかもしれませんが、それがネイティブに通じる英語になっているかどうかは自分ではわかりません。面接を受ける場合も、ネイティブの質問を即座に理解し、適切な答えを返せるレベルに達しているかどうかは、実際に面接を受けてみるまでわからないかもしれません。

英語に限らず、「エクセルでデータ管理やマクロの作成ができる」「統計学を使いこなしてデータ分析の精度を高める」といった学習目標も同様です。

特に**独学では、自分自身で学習達成度を把握することが大切**です。

どうなれば自分はゴールテープを切ったことになるのかがわからないと、せっかくクリアにした学習目標もぼやけてしまいます。

そこで必要となるのが、目標の「見える化」です。

その手段としてお勧めなのが、テストを活用することです。

「○○の資格試験に合格する」

「□□の試験で××点以上とる」

このように学習目標をテストに置き換えれば、自分の学習達成度を客観的に把握できます。

また、**テストを目標にすれば、達成するために必要な時間や教材もわかります。つまり、「いつまでに、何をどれくらいやるか」のロードマップまで明確になる**わけです。

学習ロードマップの作り方は「ステップ４」で詳しく解説しますが、その前提として学習目標の見える化は必須のプロセスだと考えてください。

「直接&到達度テスト」を活用する

ただし勘違いしてほしくないのは、あくまでテストはゴール達成のための手段であり、ツールにすぎないということです。

最終的に目指すのは学習目標であり、ひいてはそれを達成することで思い描くとおりの人生を実現すること。テストを受けること自体が目的化してしまったら本末転倒です。

また当然のことながら、自分自身のゴールを反映したテストでなければ、ツールとしても役割を果たしません。

学習目標をクリアにする作業を飛ばして、いきなり「TOEICで七〇〇点とる」と決めても、それは見える化したことにはならないので注意してください。

そうした点を改めて理解していただいた上で、どのようにテストを活用すればいいか、目標を正しく見える化するためのポイントを紹介しましょう。

ポイント❶ 「テストの種類」を理解する

テストと一口に言っても、種類によって測定の方法は異なります。

インストラクショナル・デザインで使うのに適したテストを選ぶには、次の違いを理解する必要があります。

①「直接テスト」と「間接テスト」

- 直接テスト…測定したい技能を実際に学習者に行わせる
（例）英語のスピーキング力を測るため、ネイティブの講師が学習者を1対1でインタビューする
- 間接テスト…技能を実際に学習者に行わせることなく、間接的な手段で測定する
（例）英語のスピーキング力を測るため、ペーパーテストで会話文の空白を穴埋めさせる

②「到達度テスト」と「熟達度テスト」

- 到達度テスト…一定の学習範囲内で、学習内容をどれだけ習得したかを測定する
（例）学校の中間テストや期末テスト、英語検定

- 熟達度テスト…特定の授業内容や教材を前提とせず、学習者が何をできるか・できないかを測定する

（例）大学入試、ＴＯＥＩＣ

大人が学習目標として使うなら、適切なのは「直接テスト」かつ「到達度テスト」です。目指すゴールは学んだことを仕事やキャリアに活かすことなので、実践で使えるかどうかを直接的に測定すべきです。

また、学習すべき範囲が決まっていて、「ここからここまで習得すれば、一〇〇点が取れる（or合格できる）」というテストでなければ、学習達成度を正しく把握できません。

もちろん例外もあります。

「海外事業部に配属されるにはＴＯＥＩＣ八〇〇点以上が必要」などと決まっている場合は、たとえ熟達度テストであっても、ＴＯＥＩＣを受けて必要な点数を取ることを学習目標にしなければいけません。

ただしその場合も、**テストの種類の違いを理解した上で、学習計画を立てる**ことが重要です。

ＴＯＥＩＣについても、これを到達度テストと勘違いすると、スコアが伸び悩む原因になります。現在のスコアが五〇〇点なのに、いきなり最終目標である八〇〇点を狙おうとしてしまうからです。

意気込んで「ＴＯＥＩＣ八〇〇点攻略」といった教材を買っても、その内容は七〇〇点や七五〇点をクリアした人が対象となっています。

だから、現在五〇〇点の人がいくら勉強しても理解できないし、覚えられない。結局は時間だけが無駄に過ぎていきます。

よって効率的・効果的にゴールを達成するなら、まずは六〇〇点を目指し、それをクリアできたら七〇〇点、それがクリアできたら次は八〇〇点と、自分で到達度を細かく区切っていく必要があります。

要するに、熟達度テストであっても、自分で到達度テスト化し、学習目標として機能させる工夫が求められるということです。

ポイント❷ 自分のゴールとテストの関係性を知る

前述の通り、テストは自分のゴールとリンクしたものでなければ意味がありません。

学習のＡＢＣＤモデルで、学習目標を「行動」「条件」「程度」まで具体化したのですから、学習達成度を正確に測定できるテストを選ぶべきです。

例えば「英語のテストなら、英検かＴＯＥＩＣだろう」と安易に考えるのは失敗のもと。もちろん先ほどの海外事業部への配属条件のように、これらの試験が学習目標に一致するケースもあるでしょう。

しかし「ネイティブと質疑応答ができる」「外国人の上司・部下とコミュニケーションできる」といった学習目標なら、これらのテストはゴールとの関係性は希薄になります。

皆さんは「ＴＯＥＩＣのスコアが高い人は、英語が話せる」というイメージを持っているかもしれません。

最近は企業が採用や昇進、配属の基準としてＴＯＥＩＣのスコアを使うケースも増えました。ところが、「ＴＯＥＩＣ九〇〇点の人をネイティブのチームに入れたら、会話ができず仕事にならなかった」という声が人事担当者から聞こえてくることもあります。

これはＴＯＥＩＣが間接テストであり、「この問題を解けるなら、英会話力も高いだろう」という仮説に基づく試験であって、ネイティブと直接会話して測定するわけではないために生じるギャップです。

英会話力を測定するなら「VERSANT」

ＴＯＲＡＩＺでは、受講者の英会話力を測定するテストとして、「ＶＥＲＳＡＮＴ：ヴァーサント」（https://www.versant.jp）というスピーキングテストを使っています。

これは人工知能を使って英語のスピーキング力とリスニング力の両方を測定するテストで、受験者がネイティブの話す自然な速さの英語を理解し、応答できるかを診断します。

つまり、「ネイティブと話せるだけのコミュニケーション能力があるか」を客観的に測定するテストであり、在日米国大使館でも採用試験の審査基準の一つにＶＥＲＳＡＮＴを使っているほど信頼性の高いツールです。

英語圏での仕事や日常生活に困らないレベルの英語を話すには、ＶＥＲＳＡＮＴスコアで四七点が目安となります。日本人ビジネスパーソンが一人で海外出張をして、会社から指示された仕事を最低限こなせるイメージだと考えてください。

では、例えばＴＯＥＩＣ七〇〇点の人がＶＥＲＳＡＮＴを受けると、どのくらいのスコアになるのか。

実はＴＯＲＡＩＺの受講生の受講前のレベルがちょうどそのぐらいなのです（全受講生のうち、ＴＯＥＩＣのスコア申告があった一〇五一人の平均が六八一・三点）。

そして、全受講生がＶＥＲＳＡＮＴを初めて受験したときのスコアの平均が約三七点です。ＶＥＲＳＡＮＴ三七点は、英語で自己紹介がかろうじてできるレベルで、英語のネイティブ・スピーカーと仕事をできるレベルではありません。

ＴＯＥＩＣ七〇〇点といえば、企業で採用や昇進での目安として使われるスコアであり、一般的には、「ある程度は英語を使って仕事ができる人」と思われているのではないでしょうか。

ところが現実には、英語を話せない人が数多く含まれています。

誤解のないように言っておきますが、私はＴＯＥＩＣが役に立たないと言っているのではありません。

ＴＯＥＩＣである程度のスコアを取れるなら、英語の基礎力が身についていることを証明できますし、自分が思い描く人生を送るためにＴＯＥＩＣのスコアが必要なら、高得点を獲得するために勉強することは無駄になりません。

ただし、あなたの学習目標との関係性が低いのであれば、他のテストを活用すべきだということです（先述したように、TOEICにもスピーキングとライティングのテストである「TOEIC Speaking & Writing Tests」というのものもあります）。

ちなみにTORAIZ受講生のデータでは、VERSANTで定期的に測定していくと、一年後にはネイティブとの会話に困らない四七点が平均値となります。

正しく目標を設定し、適切なツールで学習達成度を測定していけば、誰もが着実にゴールテープを切れるわけです。

なお、**使うテストを決めたら、途中で変えない**ことも大事です。

スタートとゴールを同じ尺度で測るから、学習達成度を客観的かつ正確に把握できます。

そのためにも「ステップ2」の段階で、学習目標を正しく見える化することが大事です。

ポイント❸　どんな領域・テーマでもテストは存在する

ここまで読んで「英語はメジャーな学習テーマだからいろいろなテストがあるが、自分が学びたいのはマイナーな領域なので、そんなものは見つからないのでは？」と不安に思った人もいるかもしれません。

でも大丈夫です。

世の中にはありとあらゆる領域やテーマの資格試験やテストが存在します。

まずはインターネットで検索するだけでも、自分のゴールとリンクしたテストが見つかるはずです。

- 「マーケティングに役立つ統計学を身につけたい」→統計検定
- 「会計の知識を学びたい」→日商簿記検定
- 「エクセルでマクロの作成をしたい」→マイクロソフトオフィススペシャリスト（MOS）・Excel エキスパート
- 「文系だがＡＩ技術の基礎を理解したい」→Python 3 エンジニア認定基礎試験・エンジニア認定データ分析試験

これらは一例ですが、「さすがにこれはないでしょう」と思うものでも、何かしらの資格試験や検定試験が見つかるはずです。

「私はビジネスとは関係のないピアノ講師で、音楽の指導力を高めたいんです」

そんな場合も、「ヤマハ音楽能力検定制度」や「ピティナ・ピアノ指導者ライセンス」などのテストが見つかります。

確かに試験の質は運営者によって玉石混淆なので、内容や実績はきちんと確認する必要がありますが、学習達成度の指標となるテストが一つも見つからないということは、ほとんどないと考えられます。

もし自分一人で探すことができなければ、「ステップ1」に立ち戻って、ロールモデルに「どんなテストを指標にすればいいと思いますか？」と聞いてみるといいでしょう。

「自分は二十代でこの資格を取ったことが、のちの仕事に役立った」

「当時はなかったが、今なら○○の資格試験を勉強するといい」

そんなアドバイスがもらえるはずです。

「そんなことまでするの？」と面倒に思う人もいるかもしれません。

なぜこれほど学習目標の設定に手間ひまをかけるかといえば、これがゴールを達成できるかを決める重要な作業だからです。

孫社長が言う通り、目指す山を決めなければ、登ることもできない。

ここが学習デザインの重要なステップであることを、ぜひ理解してもらいたいと思います。

学習目標はオープンにせよ

学習目標を明らかにしたら、第1章に掲載した「人生・学習計画シート」の「学習のゴール」に忘れず記入してください。

さらにもう一つ、ゴールを確実に達成するために、ぜひやってほしいことがあります。

それは、学習目標をオープンにすることです。

特に独学の場合、最初はモチベーションが高くても、そのうち「仕事が忙しいから、少しくらい勉強を休んでもいいかな」「勉強しようと思ったけれど、家族が遊びに行きたいと言うから連れていかなくちゃ」などと、様々な言い訳をしてサボるようになります。

だから、ぜひ周囲の人たちに、自分が何を目指しているのかを宣言してほしいのです。

他人の目ほど、挫折を防いでくれるものはありません。

「三ヶ月後に簿記検定二級を取得します！」

「一ヶ月後の試験でＭＯＳの Excel エキスパートに合格します！」

そう宣言した以上、ゴールを目指して頑張るしかありません。

職場の人たちに伝えてもいいですし、ツイッターなどでつぶやいてもいいでしょう。

「勉強の進み具合はどう？」「合格できそう？」といった会話が生まれることで、「サボるわけにはいかない」と強い意志を保つことができます。


また**家族がいる人は、「なぜ今はプライベートの時間を削らなくてはいけないのか」を理解してもらうためにも、必ず学習目標を共有してください。**

これまでは週末のたびに家族で買い物に出かけていたが、これから一年間は土日も勉強したい。そんなとき、家族の理解がなければ実行は不可能です。

「今年は一緒に過ごす時間が減るかもしれないが、目標を達成すれば自分がやりたい仕事ができて収入も増えるので、家族がもっと幸せになれる。だからこの一年間だけは、家族より勉強のために時間を使うことを認めてほしい」

こうして人生計画や学習計画を共有することで、周囲との余計な軋轢（あつれき）を生まずにすみます。

学習目標をオープンにするためのフォーマットも作りましたので、ぜひ活用してください（次ページの図参照）。

この**「学習宣言シート」**は、いわば自分との約束です。

他の誰でもない自分自身のために「私はこれをやる」と宣言することで、ゴールを目指す意志が確固たるものとなります。

このシートを机の前など常に目に入る場所に貼っておくと、ついサボりたくなったり、挫折したりしそうになったときも、自分との約束を思い出せます。

コピーを家族や同僚に渡して共有するのもいいでしょう。

自分自身だけでなく、周囲の人との約束として活用すれば、「絶対にやり遂げる」という思いはさらに強まります。

学習宣言シート

年　　月　　日

学習宣言

私、＿＿＿＿＿＿＿＿は、＿＿＿＿年＿＿＿月＿＿＿日までに、

＿＿＿＿＿＿＿＿＿＿＿＿＿＿＿＿＿＿＿＿＿＿＿＿＿＿＿＿

という学習目標を達成するために、

＿＿＿＿＿＿＿＿＿＿＿＿＿＿＿＿＿＿＿＿＿＿＿＿＿＿＿＿

することを、誰でもない自分自身のために宣言します。

そのために、下記の事項を遵守し、励行することを宣言します。

記

□ 学習目標を達成できるかは自分にかかっていることを理解しています。
□ 学習ロードマップを自分の実力と学習目標に合わせ常に個別最適化します。
□ 計画した週次学習スケジュールに従って規則正しく学習を行います。

以上

署名＿＿＿＿＿＿＿＿＿＿＿＿＿＿

STEP3

自分の学習スタイルを診断する

第3章

誰にでも「向き・不向き」はあります。

自分は人と接する仕事が向いているとか、数字やデータの正確さを求められる職業が合っているとか、文章を読み書きすることならうまくできるとか、社会人なら自分の特性をなんとなく把握しているのではないでしょうか。

それは学習でも同じです。学習を継続するには、「これなら楽しくできる」とか「毎日やっても苦にならない」といった方法を選択することが大事です。

そこで、この章では「自分にはどんな学習スタイルが向いているか」を診断します。

学習スタイルについても、科学的な理論や分析が進んでいます。

その代表格が「ＶＡＫモデル」で、人間を「視覚型・聴覚型・体感覚型」の三タイプに分類できます。診断の手法も確立されていて、誰でも自分に合った学習スタイルを知ることができます。

あなたがどれに当てはまるのか、ぜひ診断してみてください。

自分のタイプがわかれば、より効果的・効率的な学習方法も見えてきます。

次章以降で作成する「学習ロードマップ」「学習スケジュール」をベストなものにするためにも、学習スタイルの向き・不向きを知ることが大事です。

学習スタイルを分類する「VAKモデル」

学習目標を明確にしたら、具体的な学習計画を作成する前に、ぜひやってほしいことがあります。

それは自分に合った学習スタイルを知ることです。

「どんな学習スタイルが最も効率的・効果的か」は、人によって大きな差があります。

まずはそれを知ることで、設定したゴールを最短最速で達成する方法も明らかになります。

人によって適した学習スタイルが異なるのは、理由があります。

それは脳へ情報伝達する際に、「五感のうち、どの感覚が優位に働くか」に違いがあるからです。

これは科学的にも分析され、**「VAKモデル」**として体系化されています。

このモデルでは、人間を三つのタイプに分類しています。

・**視覚型（Visual）**

目から脳への情報伝達に優れたタイプです。

視覚的な情報をインプットするのが得意で、日常生活でも説明書をよく読んだり、買い物をするときに見た目でものを選ぶ傾向があります。

・**聴覚型（Auditory）**

耳から脳への情報伝達に優れたタイプです。

音で情報をやりとりするのが好きなので、普段から音楽を楽しんだり、買い物をするときも店員と相談しながら決めます。

・**体感覚型（Kinesthetic）**

実際の体験を通じた脳への情報伝達に優れたタイプです。

身体を動かしたり、何かを操作したりする活動を好むので、スポーツが趣味だったり、買い物をするときも実際にものを触ってから選びます。

脳への情報伝達とは、すなわちインプットです。

よって効率的・効果的な学習法も、タイプごとに違ってきます。

TORAIZでは、受講生の学習計画を立てる前に、必ずその人がどのタイプかを診断します。その結果を知ることで、本人に最適な学習プログラムをデザインしやすくなるからです。

自分に合った学習スタイルを実際に診断してみよう

皆さんもこの診断を自分で行うことができます。

VAK学習モデルを自己診断できるツールがあり、三〇項目のアンケートに答えるだけで自分がどれに当てはまるかわかります。92〜99ページにツールを掲載しましたので、ぜひ皆さんも自分のタイプを確認してみてください。

◉「VAK学習スタイル自己診断」
https://studylib.net/doc/8700519/vak-learning-styles-self-assessment-questionnaire
（オーストラリア・スウィンバーン工科大学の学習ラボサイトより。TORAIZ翻訳）

あなたが普段どのように行動しているかを最もよく表している答えに、◯をつけてアンケートに答えてください。

1 新しい器具を使うとき、私は通常、次のようにします。
(a)説明書を読む (b)使ったことのある人の説明を聞く (c)使っているうちにわかると思うのでやってみる

2 旅行のために道順が必要なとき、私は通常、次のようにします。
(a)地図を見る (b)誰かに道順を尋ねる (c)感覚的に進み、コンパスも使う

3 新しい料理を作るとき、私は次のことをしたいと思います。
(a)書かれたレシピに従う (b)友人に電話して説明を求める (c)自分の直感に従って、料理をしながらテストする

4 誰かに何か新しいことを教えるとき、私は次のようにする傾向があります。
(a)指示を書いてあげる (b)言葉で説明してあげる (c)最初にデモンストレーションを

してから、彼らにやってもらう

5　私は次のように言う傾向があります。
(a)私のやり方を見てください　(b)私の説明を聞いてください　(c)あなたがやってください

6　自由時間には、次のことをします。
(a)博物館や美術館に行く　(b)音楽を聴いたり、友達と話したりする　(c)スポーツをしたり、ＤＩＹをしたりする

7　服を買いに行くとき、私はたいてい次のことをします。
(a)着たときのイメージを想像する　(b)お店の人と相談する　(c)試着して試す

8　休暇に私はたいてい次のことを選んでします。
(a)たくさんのパンフレットを読む　(b)友達のおすすめを聞く　(c)そこにいるときのことを想像する

9　もし私が新しい車を買うとしたら、私は次のようにするでしょう。
(a)新聞や雑誌のレビューを読む　(b)友人と必要なものについて話し合う　(c)たくさんの異なるタイプの車を試乗する

10　新しいスキルを身につけるとき、私は次のことをするのが快適です。
(a)先生がやっていることを見る　(b)自分が何をすべきかを先生と正確に話し合う
(c)自分でやってみて、やりながら解決していく

11　メニューから食べ物を選ぶとき、私は次のことをする傾向があります。
(a)食べ物がどのように見えるかを想像する　(b)頭の中で、またはパートナーと一緒に選択肢を話し合う　(c)食べ物がどのような味かを想像する

12　バンドの演奏を聴いているとき、私は次のことをせずにはいられない。
(a)バンドメンバーや他の観客を見る　(b)歌詞やビートに耳を傾ける　(c)音楽に合わせて動く

13

私が集中するときには、次のことをしがちです。

(a)目の前の言葉や絵に集中する　(b)頭の中で問題と可能な解決策を議論する　(c)たくさん動き回って、ペンや鉛筆をいじったり、物に触れたりする

14

私が家庭用家具を選ぶのは、次のことが好きだからです。

(a)その色と見た目　(b)販売員の説明　(c)その質感と触ったときの感触

15

私の最初の記憶は、

(a)何かを見ているところ　(b)話しかけられているところ　(c)何かをしているところ

16

不安になると、

(a)最悪のシナリオを思い浮かべる　(b)自分が最も心配していることを頭の中で話し合う　(c)じっとしていられず、いじけたり、絶えず動き回ったりする

17

私が他の人とのつながりを特に感じるのは、

(a)その人がどのように見えるか　(b)その人が私に何を言うか　(c)その人が私をどのように感じさせるか

18

試験のために復習しなければならないとき、私は一般的に次のことをします。

(a)たくさんの復習ノートと図を書く　(b)一人または他の人と一緒にノートを見ながら話す　(c)動きを作ったり、式を作ったりすることを想像する

19

誰かに説明するとき、私は次のようにする傾向があります。

(a)自分の言いたいことを相手に示す　(b)相手が理解するまでいろいろな方法で説明する　(c)相手に自分の考えを試してもらい、相手がそれをするときに話をする

20

私は次のことがとても好きです。

(a)映画を見ること、写真を撮ること、美術品を見ること、人間観察をすること　(b)音楽やラジオを聴くこと、友人と話すこと　(c)スポーツに参加すること、おいしい食べ物を食べたりワインを飲んだりすること、ダンスをすること

21

私の自由時間の大半は、

(a)テレビを見る　(b)友人と話す　(c)体を動かすか、物を作る

22

私が新しい人と最初に連絡を取るとき、私はたいてい次のようにします。

(a)直接会う約束をする　(b)電話で話す　(c)活動や食事など、何か他のことをきっかけにする

23

私は次のうち、他人のこれがまず気になります。

(a)見た目と服装　(b)声と話し方　(c)立ち方と動き方

24

もし私が怒っているなら、私は次のことをする傾向があります。

(a)自分を怒らせたことを頭の中で再生し続ける　(b)声を張り上げて、自分の気持ちを人に伝える　(c)踏みつけたり、ドアを叩いたりして、自分の怒りを物理的に示す

25

私は、次のうちこれを覚えるのが一番簡単だと思う。

(a)顔　(b)名前　(c)自分がしたこと

26

誰かが嘘をついているかどうかは、次のような場合にわかると思う。

(a)あなたを見ない　(b)声が変わる　(c)おかしな雰囲気を出す

27

古い友人に会ったとき、

(a)私は「会えてよかった！」と言う　(b)私は「あなたから話を聞けてよかった！」と言う　(c)私は彼らを抱きしめたり、握手したりする

28

私が一番記憶しやすい方法は、

(a)メモを書いたり、詳細を印刷しておく　(b)声に出して言ったり、単語やキーポイントを頭の中で繰り返す　(c)活動を行って練習したり、やっているところを想像する

29

欠陥商品について不満を伝えるために、私が最もやりやすいのは、

(a)手紙を書く　(b)電話で苦情を言う　(c)商品を買った店に持っていくか、本社に郵送する

30　私は次のように言う傾向があります。
(a)あなたが言いたいことがわかります　(b)あなたが言っていることがわかります　(c)あなたがどう感じているかわかります

では、あなたが選んだa、b、cの数を合計してください。

aの個数（　　）個
bの個数（　　）個
cの個数（　　）個

もしaが多いならば、あなたは視覚的な学習スタイルを持っています。

bが多いならばあなたは聴覚的な学習スタイルを持っています。

cが多いならばあなたは体感覚的な学習スタイルを持っています。

人によっては、自分の学習スタイルが二つまたは三つのスタイルのブレンドであることに気づくかもしれませんが、自分の学習スタイルがわかったら、学習スタイルの説明を読んで、自分に合った学習を見極めるのにどう役立つか考えてみましょう。

タイプ別「適した学習スタイル」

診断の結果はいかがだったでしょうか。

「これまで考えてもみなかったが、言われてみれば確かに自分はこのタイプかもしれない」と納得した人が多いと思います。

これまでＴＯＲＡＩＺでは、六〇〇〇人の受講者に対して診断を行ってきましたが、比率としては視覚型が五割、聴覚型が二割、体感覚型が三割というデータが出ています。

では、あなたに合った学習スタイルとはどのようなものか。

英語学習の場合を例に、タイプ別に紹介しましょう。

◉「視覚型」に適した学習スタイル

・机に向かい、テキストや教材を読む
・紙に書いて覚える
・テキストをスマホで撮影し、移動中や隙間時間に見る

・スマホの学習アプリで単語や専門用語を覚える

◉「聴覚型」に適した学習スタイル

・音声教材を聞く
・テキストの内容を声に出して読む
・自分で読んだ声をスマホで録音し、移動中や隙間時間に聞く

◉「体感覚型」に適した学習スタイル

・実際に使う場面を想定して練習する
・学んだことを人前で発表する
・勉強仲間を作って、学んだことを教え合う
・グループレッスンで他の人とコミュニケーションしながら学ぶ

このように、自分の強みを活かした学習法を取り入れるのがお勧めです。

自分の好みに合ったスタイルでもあるので、ストレスが少なく、楽しみながら高いモチベーションで学習を継続できるのもメリットです。

タイプ別「自分の強み・弱みを活かす学習法」

より具体的にイメージしていただくために、TORAIZではタイプごとにどのような学習方法をお勧めしているかを紹介します。

これは英語学習のケースですが、もちろん他の勉強でも応用が可能です。

三タイプそれぞれに強みや得意分野がある一方で、弱みや苦手分野もありますので、それを踏まえながら学習プログラムを組み立てていく必要があります。

六〇〇〇人分の実績から、VAK学習モデルを取り入れるポイントや注意点も明らかになっています。それもあわせてお伝えしましょう。

❶「視覚型」の場合

TORAIZは「一年間で英語を話せるようになる学習プログラム」を提供しているので、シャドーイングの実践が欠かせません。

これは、耳から聞こえてくる音を少し遅れて追いかけながら、自分も真似して口に出す英語練習法ですが、視覚型の場合はひと工夫が必要です。

目で見たものをインプットするのが得意な反面、音を耳で聞くだけでは、なかなかスピードについていけなかったり、「本当に真似できているのだろうか」と不安になる人が多いためです。

そこで視覚型の受講生には、シャドーイングの音声内容を書き起こしたスクリプトを持ち歩くか、その日に練習するページをスマホで撮影して、いつでも文字で確認できるようにすることを勧めています。

それを見ながら、移動時間や隙間時間にシャドーイングをすると、学習効率が高まります。


また、目で見た情報に引っ張られすぎてしまうのが、視覚型の弱点です。

例えば「local」という単語があると、日本人はどうしてもローマ字読みの習慣に引きずられて「ローカル」と発音したくなります。しかしネイティブの発音は、「ロコゥ」です。「talk about」もネイティブは「トーカバゥ」と発音しますが、日本人は「トーク　アバウト」と読んでしまいます。

聴覚型の人は耳から入った音をそのまま受け取りますが、視覚型の人はいったん文字に戻って確認しないと気が済まないので、「local」という単語が目に入ります。すると自分でシャドーイングするときも、どうしても「ローカル」と言ってしまうのです。

そこで視覚情報に引っ張られてしまう人には、ネイティブの発音をカタカナで書いてもらいます。

「local」なら「ロコゥ」、「talk about」なら「トーカバゥ」というように、カタカナの仮名を振っていくと、ようやく本人も「ロコゥ」「トーカバゥ」と真似できるようになります。

視覚型の特性を逆手（さかて）にとり、文字情報を活用して音声認識力を高めていく方法です。

耳からのインプットが苦手でも、視覚型の強みをうまく活かした学習法を工夫すれば、リスニング力やスピーキング力を着実に身につけることができます。

❷「聴覚型」の場合

とにかく耳がいいので、シャドーイングは大の得意です。

ネイティブの話すフレーズをそのまま素直に真似するので上達も早く、自分でも「英語を話せている」という実感を得やすいので、シャドーイングを続けることはまったく苦になりません。

ただし、ここに意外な落とし穴があります。

まるでネイティブのようにペラペラ話せるのに、本人は自分が何を話しているのか理解していないという状態に陥りやすいのです。

いくらネイティブの発音を完全にコピーできても、フレーズの意味を理解しなければ、実際の会話には応用できないし、自分が言いたいことも相手に伝えられません。

そこで聴覚型の人には、音を真似するだけで終わるのではなく、必ずスクリプトで意味も確認するように促します。さらに学習段階が進むと、耳から聞こえた英語を書き取るディクテーションを取り入れて、音と文字を紐づける練習も行うことがあります。

このように聴覚型は音声認識力については問題ないのですが、同時に意味理解力を身につけることを意識した学習プログラムをデザインすることが大事です。

なお聴覚型の人には、単語を覚えるときも、音声型のアプリを使ったり、自分の声で録音したものを聞く方法を勧めています。

手書きの単語帳を作るより、耳からインプットした方が何倍も効率的・効果的です。

❸「体感覚型」の場合

体感覚型は、実際に英語を使う機会を増やすのが最も効果的・効率的です。

そこでこのタイプには、グループレッスンを多めに受けることを勧めています。ネイティブ講師や他の受講生とのリアルなコミュニケーションを増やし、双方向の会話をする体験を重ねることで、英語力が一層身につきやすくなります。

このタイプは人と関わることがモチベーションの源泉になることが多く、本人の学習意欲を高めることにもつながります。

さらには、定期的にグループレッスンに参加することで、予習・復習もしっかりやるようになる効果もあります。

体感覚型は一人で机に向かって黙々と学習するのを好みませんが、「次のレッスンではこんなことを話そう」というイメージがあれば、そのための準備は苦になりません。実際に自分が英語を使う場面を想定すれば、一人のときもやる気が出ます。

体感覚型の人は、シャドーイングもリアルなシチュエーションを想定した教材を選びます。

お勧めは映画で、ネイティブがどんな場面でどんな英語を話しているのかを具体的にイメージしながら聴けるので、一人学習が苦手な体感覚型の人もモチベーションが続きやすくなります。

もともとＴＯＲＡＩＺでは、ネイティブが仕事や日常生活の中で話す生の会話を聴ける教材として、受講生に映画をお勧めしていますが、体感覚型の人ならそのメリットはより大きくなるということです。

自分に合った学習スタイルなら結果が出る

このように英語学習一つとっても、人それぞれ適した学習スタイルは異なることをご理解いただけたのではないでしょうか。

私たちがＴＯＲＡＩＺで六〇〇〇人の受講生を見てきて実感しているのは、これまで学習者の能力や理解度の差だと考えられていたものは、実は単に学習方法の向き・不向きにすぎなかったということです。

日本では集団学習で一律のカリキュラムを学ぶのが当たり前で、それで成果を出せなければ、理解度や能力が低いと評価されてきました。しかしそれは、たまたまそのカリキュラムが本人に向いていなかっただけで、向いている学習方法を選べば、誰もが内容を理解したり、技能を身につけたりすることが可能です。

英語でも、資格学習でも、受験勉強でも、それは変わりません。

皆さんも自分の向き・不向きを理解すれば、個別最適化した学習プログラムを作ることができます。

次章の「ステップ4」では、具体的な学習デザインに取り掛かりましょう。

STEP4

学習ロードマップを作る

第4章

この章では、学習計画の具体的な進め方を明らかにしていきます。

そのために作成するのが「学習ロードマップ」です。

学習目標を確実に達成するには、ゴールから逆算して「いつまでに何をやるか」を明確にすることが必須です。

しかも忙しい社会人であれば、学習に使える時間には限りがあります。よって大事なのは、「どうすれば学習効率を高められるか」を戦略的に考えること。最小限のコストで最大限の効果を出せるように、学習プログラムを組み立てていくことが大事です。

そこで、学習効率の高いロードマップを作成するための「六つの手順」をご紹介しましょう。

これに沿って作成していけば、自分にとってベストな学習プログラムをデザインできます。

皆さんがロードマップを作成しやすいように、専用のフォーマットも添付しました。

学習ロードマップがどんなものかをイメージしやすいように、資格試験や英語学習の作成事例も紹介していますので、参考にしてください。

ゴールまでの道筋が見える化できれば、「必ず目標を達成するぞ」というモチベーションが一層高まるはずです。

学習ロードマップを作る「六つの手順」

「ステップ4」では、いよいよ学習デザインの肝であるロードマップを作ります。

これはその名のとおり、ゴールに到達するまでの道筋を示した地図であり、**学習計画において「いつまでに何をやるか」を可視化したもの**です。

ロードマップなしに学習を始めるのは、地図も持たずに登山をするようなもの。そんなことをすれば、途中で道に迷ったり、ペース配分を誤ったりして、結局は頂上に辿り着けずに、どこかで下山することになります。

皆さんも普段の仕事では、事業やプロジェクトの目標を達成するために、決められた納期・コスト・品質から逆算して、進行表や工程表を作成するはずです。

それと同じ作業が学習でも欠かせません。

学習ロードマップを作成する手順は、次のとおりです。

手順❶　学習方法を学習する
手順❷　「学習ROI（投資利益率）」を理解する
手順❸　「必要学習時間」と「学習可能時間」を知る
手順❹　ROIを高める戦略を考える
手順❺　モチベーションアップする教材を選ぶ
手順❻　学習ロードマップをシートに書き込む

それぞれについて、説明していきましょう。

手順❶　学習方法を学習する

「スタート地点」が同じ先人から学ぶ

学習目標に到達するための最短ルートを知るには、前提として**「学習方法を学習する」という「メタ学習」が必要**です。

なぜ進学校の生徒が受験で有利かといえば、長年の経験から蓄積された「東大に合格するための学習法」「京大に合格するための学習法」などを共有できるからです。

教師も一般的な教科書はあまり使わず、「東大を目指すならこのプリントをやればいい」といった独自のノウハウを持っているので、生徒たちも受験の役には立たない無駄な勉強に時間を取られることなく、それぞれの目標に向かって超効率的に学習を進められます。

これは受験に限らず、どんな学習でも同じです。

学習を有利に進めて、最短最速でゴールに辿り着くためには、「自分の学習目標を達成するためのベストな学習方法は何か」を学ぶことが欠かせません。

具体的には、**先人たちの成功事例を知ることが、最も有効なメタ学習**となります。

幸いにも情報化時代の今は、いくらでも学習のケーススタディを探すことができます。

様々な媒体で成功者たちが学習体験記や学習ノウハウを公開しているので、その中から自分に最適な学習法を学ぶことが可能です。

ただし、情報があふれているからこそ、選び方には注意が必要です。

まず前提として、次の条件を満たす学習法でなければいけません。

・「ゴール」が自分と同じである
・「スタート地点」が現在の自分と同じである

ゴールが同じであることは当然必要ですが、加えて重要なのが、学習のスタート地点も同じであることです。

ゴールは同じ「TOEIC八〇〇点」だとしても、勉強を始める時点のスコアによって、学習ロードマップは大きく変わってきます。

よって、現在のスコアが五〇〇点台の人は、同様に五〇〇点台からスタートした人の学習法を学ぶべきであり、六〇〇点台の人は、同様に六〇〇点台からスタートした人の学習法を学ぶべきです。

第2章でも説明しましたが、現在五〇〇点の人がいきなり八〇〇点を目指すと、かえって学習効率は低下します。

より高いスコアを獲得するには、より難しい単語や文法を記憶・理解する必要があります。まずは七〇〇点台を取れるだけの英語力が身についているから、それを土台として八〇〇点レベルを目指せるのであって、途中のプロセスを飛ばすと難しすぎて挫折したり、理解するのに時間がかかったりします。

つまり**スタート地点のスコアやレベルによって、学習の進め方も選ぶべき教材も違ってくる**のです。

よって先人たちの学習法を学ぶなら、ゴールだけでなく、スタート地点が現在の自分と同じであることを重視して、情報を取捨選択することが大事です。

メタ学習は「書籍」「知り合い」を中心に

メタ学習には、いくつかの方法があります。

それぞれについて、ポイントや気をつけるべき点を解説します。

◉「書籍」から学ぶ

学習法の本を読むのは、メタ学習の王道です。

出版の世界では、昔から数多くのケーススタディが書籍化されていて、例えば大学受験なら、和田秀樹さんの『受験は要領』（ＰＨＰ文庫）が有名です。高校時代は劣等生だった著者が、独自に編み出した受験術により、東大に現役合格したケースを学ぶことができます。

同じく東大合格をゴールとするなら、最近では、テレビ番組『東大王』への出演で注目を集めた鈴木光さんも、『夢を叶えるための勉強法』（KADOKAWA）で自分の勉強法を紹介しています。

「まったく英語が話せないのに、急に仕事で必要になった」という人なら、手前味噌になりますが、拙著『海外経験ゼロでも仕事が忙しくても「英語は1年」でマスターできる』（PHP研究所）がケーススタディとして役立つかと思います。

ネイティブの会話をひと言も理解できなかった私が、一年後には外国人と仕事をするのに困らないレベルの英語をマスターした学習法を紹介しています。

書店に行けば、語学からパソコンスキル、ビジネススキル、資格試験、大学入試まで、ありとあらゆる学習法の本が並んでいます。

その中から、「ゴール」と「スタート」が自分と同じケースを見つけ出せるはずです。

ただし、**ネット書店を利用する際は、口コミに注意**してください。

「役に立たない」といった悪い評価がついていても、たまたまその人のレベルに合わなかっただけで、自分のゴールとスタートにはぴったり合う可能性もあります。

逆に「ものすごく役に立った」と高い評価がついていても、現在の自分のレベルには合わない可能性もあります。

口コミを書き込んでいる人の学習目標や学習状況がわからないので、星の数だけで判断するのは危険です。

よって、口コミだけを参考にするのではなく、必ず書籍の内容や目次、著者の経歴などを確認し、その学習法のゴールとスタートがどこにあるかを把握することが大事です。

情報収集はネット書店でするとしても、必ずリアル書店に足を運んで実物の書籍を手に取り、自分との相性を確認することをお勧めします。

◉「知り合い」から学ぶ

知り合いから体験談を聞くのも、書籍と並んでお勧めの方法です。

成功体験を持つのは、本を出しているような著名人や有名人ばかりではありません。あなたの周りにも、探せば必ず「先人」がいるはずです。

例えば、エクセルのスキルを磨きたいなら、身近で使いこなしている先輩や同僚に聞くのが確実です。

「ショートカットを覚えるなら、この本が一冊にまとまっていて便利だよ」「体系的に身につけたいなら、MOSのテキストで勉強するといい」といった、リアルで実践的な学習法を教えてもらえます。

留学経験がないのに英語がペラペラな人がいたら、「どんな勉強をどれくらいやったの？」と聞いてみるといいでしょう。「実は好きな映画のセリフをシャドーイングしたんだ」「中学レベルの簡単なフレーズを繰り返し練習しただけだよ」といった、その人ならではの学習法が聞けるはずです。

身近な人なら、学習のスタート地点も自分と近い場合が多いので、より有益な学習法を学べる可能性があります。

有名人が書いた体験記だけを読んでいると、「この人はもともと頭が良かったからできただけでは？」などと弱気になってしまうこともありますが、**似たような環境にいる人から学べば、「この人ができたなら、自分にもできるはずだ」と自信を持ちやすくなる**のもメリットです。

ちなみに孫社長は、知り合いから学ぶ達人です。

新しいビジネスや事業を始めるときは、いつもその分野に詳しい人や専門家を呼んで話を聞きます。一から自分で考えるより、すでにその領域で自分の先を行っている人から知恵を借りた方が、何倍も速くゴールに到達できると知っているからです。

私はこの孫社長の学び方を**「マウンテンガイド理論」**と名付けています。

初めての山に安全かつ最短最速で登るには、その山に詳しいガイドを雇って道案内をしてもらうのが一番確実です。

ぜひあなたも自分の周りでガイド役になる先人を探して、話を聞いてみてください。

◉「ネット」から学ぶ

今はインターネットで検索すれば、いくらでも学習法の紹介記事や体験談を綴(つづ)ったブログなどを見つけられます。

ただし、情報の質については玉石混淆です。

一見すると客観的な記事を装いながら、実はアフィリエイトで特定のスクールや教材販売に誘導するものもあれば、企業が発信するオウンドメディアで自社のブランディングや販促を目的としたものもあります。

よって発信者については、慎重に見極める必要があります。

また信頼できる発信者だったとしても、ネットの情報は断片的だったり、内容が端折(はしょ)られていたりすることも多く、自分のスタートとゴールに合っているのか判断しにくいのもデメリットです。

もちろんネットにも役立つ情報はありますが、「自分にとって何が有益な情報か」を見極めるためにも、まずは書籍や知り合いから学ぶのがいいでしょう。

その上で「この点について、もう少し掘り下げたい」とか「知り合いが使った教材が今は手に入らないので、代替のテキストはないだろうか」といった明確な目的を持って情報を探すのであれば、ネットの情報を有効活用できます。

くれぐれもネットの情報だけを鵜呑み（うの）みにしないように気をつけてください。

◉「カウンセリング」で学ぶ

資格学習や英会話のスクールでは、入会を検討している人に対し、まず無料カウンセリングを受けるように勧めているケースがよくあります。

これをメタ学習に活用する手もあります。

もし受講したら、どれくらいの期間で、どんな教材を使い、どのように学習を進めていくのか。カリキュラムを詳しく説明してくれるので、「簿記二級を目指すなら、こんな勉強をすればいいのか」「今の自分のレベルから社会保険労務士に合格するには、これくらいの学習期間が必要なのだな」といった情報を得ることができます。

ただ、こちらも最終的にはスクールや通信教育に申し込んでもらうことを目的としているため、強引な勧誘を受ける可能性があるので注意してください。

TORAIZでも無料カウンセリングを行っていますが、これはむしろ、本人の学習目標と弊社が提供できる学習プログラムにギャップがないかを確認するためのものです。

一年間で仕事や生活に困らない英語をマスターするには、それなりのコストを費やしてもらう必要があるので、「年に一度か二度の海外旅行で、現地の人とちょっと会話できたら楽しいだろうな」という人には向いていませんし、本人にもはっきりそのことを伝えます。

世の中には「とりあえず入会者を増やせればいい」という業者も多いので、あえて注意喚起(かんき)しておきます。

こちらもネットの情報と同様、まずは書籍や知り合いの体験談から学習法を研究し、足りない部分を補うためのサブ的な情報入手先として活用するくらいがいいでしょう。

手順❷「学習ROI（投資利益率）」を理解する

学習とは何か。

その答えは、「自分の時間とお金を未来のために投じる投資活動」です。

勉強は決してラクではありません。

これまで自分が趣味を楽しんだり、家族や友人と過ごしていた時間を、勉強に回さなければいけない。場合によっては、睡眠時間を削ってでも机に向かわなければいけません。

しかも社会人は忙しい仕事をこなしながら、学習時間を捻出する必要があります。

お金だってかかります。

参考書や教材を買わなければいけないし、資格試験を受ける際は受験料もかかります。

一つひとつはそれほどの金額ではなくても、ゴールを達成するまでのトータルで考えると、それなりの出費になるはずです。

それでもなぜ学習するかといえば、利益が返ってくることを期待するからです。

「ＴＯＥＩＣの点数をあと一〇〇点アップして、部長になりたい」

「プログラミングを身につけて、ＩＴ企業に転職したい」

「税理士の資格を取って、独立したい」

このように、時間とお金を投資することによって何らかの利益を得て、人生をより幸せにしたいと考えるから、自分に負荷をかけてでも勉強するのです。

裏を返せば、期待する利益が得られなかった場合、学習に費やした貴重な時間とお金は無駄になってしまいます。

ロジックを理解すればROIは上げられる

よって学習が投資活動である以上、学習ROI（投資利益率）を意識し、できるだけ投資効率の高い学習プログラムをデザインする必要があります。

ROIは、その投資によってどれだけの利益を上げたかを示す指標で、「利益÷投資額（コスト）」で算出できます。

つまりコストが大きいほど、学習ROIは低くなる。コストと学習ROIは反比例するということです。

特に個別最適化した学習は、一般的にコストが大きくなります。

序章で取り上げた「ブルームの2シグマ問題」で、一斉講義より個別指導の方が高い学習結果を得られることを紹介しましたが、代わりに個別指導はコストがかかります。

一人の教師が三〇人に教える場合と、一人だけに教える場合では、単純比較で三〇倍の時間や手間がかかります。個別指導による学習効率の高さが証明されているにもかかわらず、多くの教育現場で取り入れられないのは、ひとえにコストが大きすぎるためです。

一方、高いコストを支払うことで、高い学習効率を実現しているケースもあります。

例えば、医学部を目指す学生を対象とした個人指導塾の場合、指導料は最低でも年間三〇〇万円からが相場で、なかには年間八〇〇万円のコースも存在します。現役の医師や医大生が完全個人指導のマンツーマンで徹底指導する塾なら、それくらいのコストがかかるということです。


とはいえ、お金をかけなければ学習を個別最適化できないわけではありません。

先ほどの事例は、教師がつきっきりで教える学習方法なので高い人件費がかかりますが、何度も繰り返しているように、インストラクショナル・デザインを理解すれば、個別最適化した学習プログラムを自分で作ることができます。

その際に学習ＲＯＩのロジックを理解していれば、コストを抑えながら学習効率の高い学習プログラムを組むことが可能です。

手順❸ 「必要学習時間」と「学習可能時間」を知る

学習ＲＯＩを意識したプログラムを組み立てるには、三つの前提条件を整理する必要があります。

・資金――「学習にいくらお金を使えるか？」
・時間――「学習に投資できる時間はどれくらいか？」
　　　　「ゴールを達成するために必要な時間はどれくらいか？」
・機会損失―「学習に資金と時間を投じることで、機会損失は生じないか？」

資金については、現在の経済状況や将来見込める収入などを考慮して、皆さんがそれぞれに割り出してください。

ここでの機会損失とは、例えば「英語を学ぶために会社を辞めて一年間の海外留学をした場合、働き続けていれば得られた収入やキャリアアップの機会を失う」といったケースです。今の仕事を続けながら独学で学ぶなら、それほど大きな機会損失は生じないことがほとんどですが、念のために確認しておきましょう。

三つの条件のうち、インストラクショナル・デザインにおいて最も重要なのが「時間」です。

序章で紹介した「キャロルの時間モデル」でも、学習達成度を決める要素として、「必要学習時間」と「学習可能時間」が重要であることを説明しました。

目標達成のために必要な学習時間を知り、日々のスケジュールの中で一〇〇％実行できるように時間配分すれば、誰もがゴールに辿り着ける。

学習ロードマップの作成でも、ここが最重要ポイントと言っても過言ではありません。

時間については、次の手順で前提条件を整理します。

A　「必要学習時間」を知る
B　「ゴールの期限」を決める
C　「一日の必要学習時間」を把握する

A 「必要学習時間」を知る

「必要学習時間」については、様々な教育機関やスクールが過去のデータにもとづく数字を公表しています。

例えば資格学習なら、合格するために必要な学習時間の目安は次のようになります。

【二五〇～三〇〇時間】
・日商簿記二級
・旅行業務取扱管理者
【三五〇時間】
・ファイナンシャル・プランニング技能士（二級）
【四〇〇時間】
・宅建士（宅地建物取引士）
【五〇〇～六〇〇時間】
・行政書士
・マンション管理士

【一〇〇〇～一二〇〇時間】
・中小企業診断士
・社会保険労務士
【三〇〇〇時間】
・公認会計士

（出典：資格取得の通信講座「フォーサイト」ホームページより
https://www.foresight.jp/media/study-time/）

他の資格試験や検定試験についても、調べれば情報が見つかりますので、第2章で学習目標に置いたテストについて、どれくらいの学習時間が必要かを確認しましょう。

またメタ学習で学んだ成功事例からも、必要学習時間を知ることができます。

自分と同じスタートからゴールを達成した成功者が、どれくらいの時間をかけて勉強したのかを調べてみてください。

TORAIZでも、科学的に実証されたデータをもとに、英語をマスターするまでの必要学習時間を算出しています。

結論から言えば、社会人が英語を話せるようになるまでに必要な学習時間は「一〇〇〇時間」です。

同志社大学の稲垣俊史教授による研究論文「How Long Does It Take for Japanese Speakers to Learn English?（日本語話者が英語を学ぶのにどれくらいかかるのか?）」では、必要学習時間を二五〇〇時間と結論づけています。

また、米国務省の語学研修機関「Foreign Service Institute（ＦＳＩ）」の調査では、標準的な米国人が日本語を習得するために必要な時間を二二〇〇時間としており、標準的な日本人が英語を習得する場合も同じ時間がかかると考えられます。

この二つのデータから、一般的な必要学習時間は二〇〇〇時間台前半が目安になると言えます。

ただし、ほとんどの日本人は中学・高校の授業で約一〇〇〇時間の学習をすでに終えています。さらに家庭や塾、大学や英会話学校などでの学習時間も含めれば、さらに多くの時間を英語学習に費やしています。

よって必要学習時間のうち半分近くはすでに学習を終えていると考え、社会人が英語をマスターするには、残りの約一〇〇〇時間を目安にするのが妥当であると判断しました。

なお、これはあくまで「仕事で必要な英語が話せること」を学習目標とした場合です。同じ英語学習でも、ＴＯＥＩＣのスコアアップや英検合格を目標にしている人は、必要学習時間もまた違ってきます。

例えばオックスフォード大学出版局が教員向けに作成した資料によると、ＴＯＥＩＣの場合、現在のスコアが五五〇点の人が七五〇点を目指すなら四五〇時間、八五〇点を目指すなら七二五時間の学習時間が必要だとしています。

よって、必ず自分のスタートとゴールに合った必要学習時間を確認してください。

B 「ゴールの期限」を決める

次に、「いつまでにゴールを達成するのか」を決めます。

資格試験であれば、受験日を確認してください。

例えば宅建なら、毎年十月に試験が行われます。二〇二一年は十月十七日なので、この年に受験するなら、この日がゴールの期限になります。

なお基本的には、一年以内の期日をゴールとします。

「試験は毎年あるから、来年でいいかな」ではなく、直近の受験日を目指すことをお勧めします。

人間の集中力は長続きしないので、ゴールが遠すぎると、途中で勉強が嫌になったり、サボり出したりします。「一年で絶対にやり遂げる」と思うから頑張れるのであって、「一年後は大変そうだから、二年後をゴールにしよう」と考えると、かえって挫折します。

また、「エクセルのスキルを身につけたいけれど、それほど切羽詰まっているわけでもないから、とりあえず時間があるときに勉強して、MOSの試験はそのうち受ければいいかな」といった考え方もNGです。**「いつかそのうちに」「時間があるときに」という人が、それを実行に移すことはない**からです。

もう一度、インストラクショナル・デザインの原点に立ち戻りますが、計画があるから学習で成果を得られるのであって、「いつまでにやるか」を設定しない計画などあり得ません。

ゴールの期限を決めることは、学習計画に必須のプロセスと心得てください。

C 「一日の必要学習時間」を把握する

「必要学習時間」を期限までの日数で割れば、「一日当たりの必要学習時間」を算出できます。

宅建の受験日が十月で、四月から勉強を始めるなら、四〇〇時間の必要学習時間を六ヶ月で実行することになるので、一ヶ月当たりの必要学習時間は六七時間。日曜は休息日とし、稼働日を二六日とすると、一日当たりの必要学習時間は二・六時間となります。

同様に、皆さんも一日の必要学習時間を算出してください。

それを「学習可能時間」にできれば、実行率は一〇〇%になります。

「一日に三時間近く勉強するなんて、仕事をしながらだと結構キツイなあ」

そう感じた人もいるかもしれません。

しかし私自身が一年で英語をマスターした経験からも、またTORAIZの六〇〇〇人分の実績からも、**一日三時間の学習は非常に効率が高い**ことを確認しています。

三時間以下でも、三時間以上でもなく、三時間が最も学習ROIが高いのです。

英語をマスターするのに必要な一〇〇〇時間を一年間の日数で割ると約三時間になるの

で、TORAIZの受講生には「一日三時間、一週間で約二〇時間」の学習計画を実行してもらいます。しかし、なかには「今月は繁忙期なのでどうしても週に二〇時間を確保できない」という人も出てきます。

そこで学習時間を減らした人のVERSANTスコアを分析したところ、「学習時間が週に一二時間を切ると、学習効果ががくんと低下する」ことが明らかになりました。

つまり一日の学習時間が二時間を下回ると、せっかく捻出した一時間や一時間半の学習まで無駄になってしまうのです。

身体に負荷をかけるから筋トレの効果が出るのと同じように、学習も一定の負荷をかけなければ成果が出ない。

これは英語に限らず、どんな学習にも共通する法則です。

かといって、「もっと早く英語を話せるようになりたいから、一日に五時間や六時間勉強しよう」というのも、お勧めしません。

社会人が仕事や家庭と両立しながら、これだけの学習時間を捻出するのは現実的ではありませんし、学習時間のハードルを上げすぎるとすぐに疲れてしまい、挫折するリスクが大きくなります。

よって大人の学習では、「一日三時間」を一つの目安にするといいでしょう。

「期限から逆算すると、一日一時間の勉強で足りてしまう」という場合、年に何度か行われている資格試験なら、期限を前倒しして一つ早い受験日を目指すことをお勧めします。

そして毎日のスケジュールの中で、三時間の学習が可能となるように時間配分しましょう。

スケジュール・デザインについては、「ステップ5」で詳しく解説します。

手順④ ROIを高める戦略を考える

学習効率を高めるためのポイントは、たった一つ。

それは**「何をしないかを決める」**です。

孫社長の口グセは「戦略とは戦いを略すること」でした。

つまり、高いＲＯＩが期待できる事業や施策だけに集中投資し、それ以外はいさぎよく捨てろということです。

学習も同じで、「これさえやれば高い成果が得られる」というものに集中することが大事です。**勉強に使える時間は限られていますから、優先順位を明確にして、プライオリテ**

ィの低いものは思い切って捨てなければいけません。

例えばTORAIZでは、「まず『発音』を捨てましょう」と指導します。

「英語を話せるようになりたいのに、発音の練習をしないのか⁉」と驚かれることが多いのですが、ここで言っているのは「ネイティブ並みの発音は追求しない」という意味です。

理由は、学習効率が極めて低いからです。

これも米国の心理学者スーザン・オヤマによる調査研究によって、科学的に実証されています。

イタリアから米国に移住した六〇人を対象に、米国到着時の年齢や滞在期間ごとにグループ分けをして発音をテストした結果、米国到着時の年齢が十六歳以上で、ネイティブ並みの発音を身につけた人はほとんどいなかったのです。

つまり、大人になってから発音を練習しても、ネイティブ並みにはまずなれないということ。そこにいくら時間をかけても、利益は得られません。

そもそもTORAIZの学習者のゴールは「仕事で使える英語を身につけること」であ

って、ネイティブや外国の人たちとコミュニケーションできれば目標は達成されます。相手と意思疎通する上で最も重要なのは、自分が言いたいことを即時に文章に組み立てて口から出すスキルであり、多少の日本語なまりがあっても、構文が正しければ言いたいことは伝わります。

また発音を追求しなくても、音節（シラブル）とイントネーションを意識してシャドーイングを繰り返せば、英語らしく聞こえる音が口から出るようになります。

よってTORAIZでは、シャドーイングと即時構文（フレーズ暗記）のトレーニングに集中し、発音は捨てる戦略をお勧めしているのです。

受験や資格試験であれば配点を調べる

受験や資格試験であれば、配点を調べることで、「何をしないか」が決められます。

例えば、東大の二次試験における英語の配点を見てみましょう。

これでわかるように、リスニングが三〇点、長文読解が二〇～三〇点と、配点が突出して高い出題内容が存在します。

反対に、文法は五～一〇点で、配点はそれほど高くありません。

東大の二次試験における英語の出題内容と配点

大問	出題内容	配点（推定）
1-(A)	要約	8〜12点
1-(B)	パラグラフ読解・整序	12点
2-(A)	自由英作文	8〜12点
2-(B)	自由英作文	8〜12点
3	リスニング	30点
4-(A)	文法	5〜10点
4-(B)	英文和訳	12〜15点
5	長文読解	20〜30点

配点が大きいリスニングと長文読解に学習時間を集中投資

出典：「東大入試 .com」より
https://toudainyuushi.com/contents/hp0073/index.php-No=551&CNo=73.html

よって戦略的には、リスニングと長文読解に学習時間を集中投資し、文法は必要最低限の投資でいいと判断できます。「何をしないか」を決めれば、最小のコストで最大の利益を得られるのです。

皆さんもメタ学習をすれば、先人たちが何に集中投資し、何を捨てているかを知ることができます。

学習内容に優先順位をつけて、「何をしないか」を決めることが、学習ロードマップを作るのに欠かせないプロセスです。

手順❺　モチベーションアップする教材を選ぶ

必要な学習時間を把握したら、次に教材を選びます。

とはいえ、どの教材を使えばいいかは、メタ学習によっておおよそのめどがついているはずです。

基本的には、自分のスタートとゴールが同じ成功者が使っていたテキストや本を選べば問題ありません。

ただし、第3章で紹介したように、人にはそれぞれ自分に合った学習スタイルがあります。またその人の性格や好みによって、教材にも相性の良し悪しがあります。

教材の候補がいくつかあるなら、より自分のモチベーションが高まるものを選ぶことで、学習効率はさらに高まります。

教材選びに役立つ「ＡＲＣＳモデル」

実はインストラクショナル・デザインでは、教材についての理論も確立しています。

それが**「ARCSモデル」**です。
米国の教育工学者であるジョン・ケラーが開発したもので、学習者の意欲を向上させる四つの要素の頭文字をとっています。

・Attention（注意）
・Relevance（関連性）
・Confidence（自信）
・Satisfaction（満足感）

このうち教材を選ぶときに重視したいのが「注意」「関連性」です。

なお残り二つについては、学習開始後のモチベーション維持に関する要素なので、次の「ステップ5」で解説します。

◉Attention（注意）

学習者の興味・関心を引き出し、モチベーションを維持するには、まず注意を引くことが大事です。

要するに、本人が「楽しそう！」「面白そう！」と思えなければ勉強は続かないということです。

例えば予備校の人気講師は、まず勉強とは関係のない面白い雑談から入って、生徒たちの興味を惹きつけます。米国のビジネススクールでも、MBAコースの教授たちは「面白い質問集」とでも呼ぶべきネタ帳を持っていて、「トロッコ問題」などが有名です。

TORAIZがシャドーイングの教材に映画をお勧めしているのも、注意を引く効果が大きいからです。

なかでも受講生に人気が高いのが『プラダを着た悪魔』です。

ヒット映画なので、すでに見たことがある人も多く、教材として提案すると「その映画、面白いですよね！」と興味を持ってもらえます。作中の英語レベルもそれほど難易度が高くないので、最初のシャドーイング教材として最適です。

もしここで、教科書的なフレーズを淡々と読み上げるだけの「英語ヒアリング入門」的な教材を選んで、「これを毎日やってください」と言われたら、それだけでやる気をなくしてしまうでしょう。

資格試験の学習でも、たとえばマンガ好きな人なら、「マンガで読む宅建士入門」「マンガで学ぶ社労士試験」といった教材から始めるのもいいでしょう。

あるいはVAKモデルで聴覚型の人なら、書籍で学ぶ場合もオーディオブックや電子書籍の読み上げ機能をうまく活用すると、楽しく学べると思います。

第一印象で「これなら面白そう」とか「続けられそう」と直感したものを選ぶことが、学習意欲を保つ秘訣です。

●Relevance（関連性）

学習目標や自分の仕事と関連性が高い教材を選ぶことも重要です。

つまり**「この教材を使うことが、自分にとってどう役立つか」を納得できるもの**であるべきだということです。

皆さんも、自分の仕事でよく使う専門用語や業界用語であれば、聞いたことのない英単語でも一瞬で覚えられるはずです。

例えば「yield」は日本人にとってあまり馴染みのない単語ですが、「yield rate」なら金融業界の人は「利回り」、品質管理の担当者なら「歩留(ぶど)まり」を意味する用語として、新人でも頭に入っています。

仕事に必要だから、自然と覚えてしまうわけです。

このように、**自分に関連性のあることなら学習も苦になりません。**

TORAIZでも、学習の最終段階では、その人のゴールに直結する教材選びを勧めています。

会計の仕事をしている人なら、『会計プロフェッショナルの英単語100』（ダイヤモンド社）を提案します。会計の現場で実際によく使われる実践的な英語が学べるからです。

シャドーイングの教材も、例えば映画『ウォール街』のように金融の世界を舞台にしたものを提案します。こちらも会計や財務に関する会話が多く交わされるためです。

実は、私が英語を学習したときも、この作品を選びました。投資家による企業買収を描いたストーリーだったので、当時ソフトバンクでジョイントベンチャーの立ち上げや買収案件を担当していた自分にとって、関連性が極めて高かったからです。

だから挫折することなく、毎日欠かさずシャドーイングを続けることができました。

皆さんが教材を検討するときも、より自分と関連性の高いものを選ぶようにしてください。

手順❻　学習ロードマップをシートに書き込む

学習デザインに必要な前提条件を整理したら、いよいよ学習ロードマップを仕上げます。

TORAIZで使用しているフォーマットを添付しますので、こちらのシートに書き込んでいけばロードマップが完成します。

横軸は「時間（月次）」で、縦軸が「カテゴリー」です。

カテゴリーには、例えばパソコン関連の検定なら「ワード」「エクセル」などの科目を、英語なら「シャドーイング」「スカイプレッスン」などの学習コンテンツを書き込みます。

ここに教材を並べて、スタートからゴールをつなぎます。これにより、「いつからいつまでに何をやるか」という学習計画を視覚化できます。

ビジネスのプロジェクト管理や工程管理におけるガントチャートをイメージしてもらえば、わかりやすいでしょう。

学習ロードマップ

年　　月　　日

カテゴリー	4	5	6	7	8	9	10	11	12	1	2	3

学習ロードマップ事例：宅建／400時間

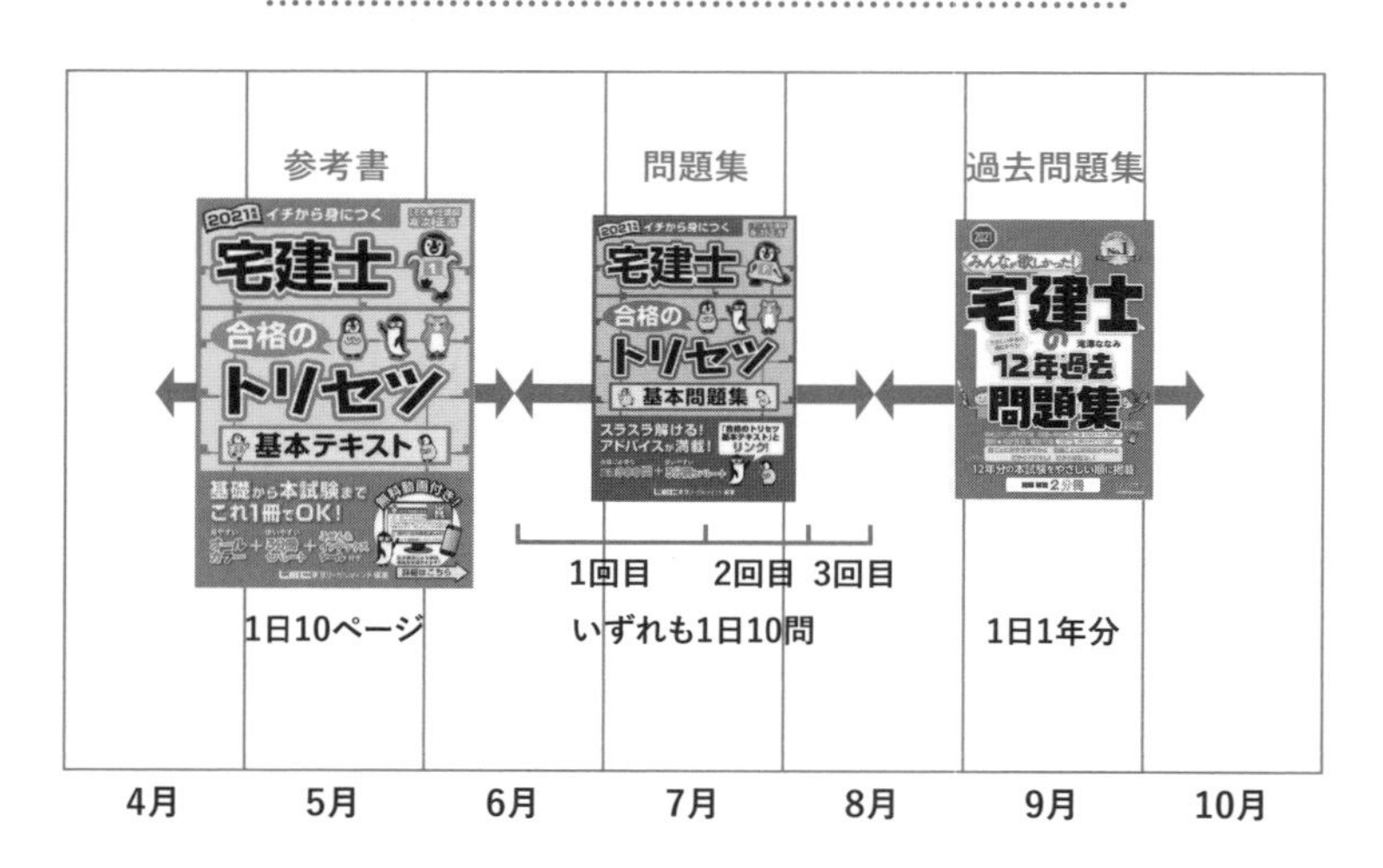

では宅建士の資格学習を例に、学習ロードマップを作成してみましょう。
宅建士の教材は全科目を網羅したものが多いので、カテゴリーは分けず、シートは一列だけを使います。

学習ロードマップ作成事例：「宅建士」資格試験の場合

作成の具体的なステップは次の通りです。
すでに説明した内容と重複する内容もありますが、おさらいを兼ねて整理します。

【ステップ1】横軸の「スタート」と「ゴール」を設定する
宅建士資格の受験日が十月十七日で、四月半ばから勉強を始める場合、横軸は「四月から十月まで」となります。

【ステップ2】「一日の必要学習時間」を確認する
宅建士資格の学習必要時間は四〇〇時間。これを六ヶ月で実行すると、一ヶ月当たりの必要学習時間は六七時間。一ヶ月の稼働日を二六日とすると、一日当たりの必要学習時間は二・六時間となります。

【ステップ3】教材を時系列で並べる

資格学習では、「参考書・問題集・過去問題集」の三冊がロードマップの基本となります。

参考書で基礎知識をインプットし、問題集を解いて自分の理解度を確認し、最後は実際に出題された過去問題集を解いて本番に備える。

メタ学習をすれば、どの成功者もこの流れで学習を進めていることがわかります。

ここでは成功者の間で評価の高い三冊をサンプルとして取り上げます。

具体的な並べ方は次の通りです。

●「参考書」:『2021年版 宅建士 合格のトリセツ 基本テキスト』(東京リーガルマインド)

資格試験では、まず全体の概要をざっくりと把握することが必要です。

「ざっくりと」というのが重要で、「とりあえず七割くらい理解できればいい」というつもりで、一冊を流し読みします。最初から完璧に理解しようと考えると、わからない箇所にぶつかるたびに学習が止まってしまうので、学習効率が低下します。

この後の問題集でアウトプットしながら理解度を高めていけばいいので、参考書は最短最速で読み終えるつもりで時間配分するのがコツです。

参考書を読むのに必要な時間を把握するには、まず一〇ページほど読んでみて、七割理解するのにどれくらい時間がかかるかを確認します。

この参考書は約五〇〇ページなので、一日一〇ページずつ進めると仮定して、五〇日かかります。一ヶ月の稼働日は二六日なので、参考書を読むだけで、六月半ばまでかかる計算です。

一日の必要学習時間は二・六時間なので、その時間で一〇ページを読み、七割理解できるなら、このペースで確定とします。もし時間が足りないなら、仕事が休みの土曜日だけ学習時間を増やすなどのスケジュール調整を検討します。


◉「問題集」:『2021年版 宅建士 合格のトリセツ 基本問題集』(東京リーガルマインド)

問題集は、一冊を三回ほど解く前提で計画を立てます。

一回で全問を完全に解けるようにはならないので、できなかった問題は二回、三回と繰り返し、最終的には一〇〇％理解することを目指します。

この問題集には三〇〇問が掲載されているので、一日一〇問ずつ進めると仮定して、一回目は三〇日かかります。

できた問題とできなかった問題に〇×をつけ、二回目は×だけをやります。一回目で三分の一を間違えた場合、二回目は一〇日で終わる計算になります。二回目で三分の一を間違えた場合、三回目は三日で終わります。

よって、三回目が終わるのは八月上旬～半ばになる計算です。

◉「過去問題集」：『２０２１年度版　みんなが欲しかった！　宅建士の12年過去問題集』（ＴＡＣ出版）

最終教材として過去問題集を解きます。

本物の試験問題を解き、出題傾向やペース配分をつかむとともに、自分の理解が足りない点や見落としている点がないかをチェックします。

一日につき一年分、計十二年分を解いてみて、間違った問題を中心に五回はやるつもりで時間配分を考えるといいでしょう。自分の知識や理解に穴がないかを確認し、不十分なところがあれば参考書や問題集で該当箇所を復習して、ゴールに向けた総仕上げをします。復習の時間を考慮しても、ゴールの十月十七日までに教材を一通りやり終えることができる計画です。

このように時間配分を計算しながら、学習ロードマップのシートに教材を並べていきます。

計画はあくまで予定なので、**実際に勉強を始めてみたら、この通りには進まないことも当然あります。そのときはロードマップを見直し、一日の学習時間や学習量を調整**しながら進めていきます。

ただし途中のマイルストーンは、基本的に動かさないことを前提とします。調整するとしても、「参考書は六月半ばまで」「問題集は八月半ばまで」という教材ごとのデッドラインは守ることが、ゴールを確実に達成する秘訣です。

なお、この例では省きましたが、スケジュールに余裕があれば、試験日が近づいたタイミングで直前講習を受けてもいいでしょう。

宅建士に限らず、各種資格試験を扱うスクールや専門学校では、「直前対策コース」「直前集中講座」といった名称で、短期間のプログラムを提供しています。その多くは受験テクニックや時事問題など、市販の問題集や過去問では扱わない領域を重点的に教えてくれるので、独学ではカバーしにくい部分については、こうしたプログラムを使う手もあります。

例えば宅建士の資格には、最新の建築着工統計や土地白書など、時事的な情報を含む出題もあり、過去問では確認できない問題が出る可能性があります。直前講習でそれらを押さえれば、さらにプラスαの加点を狙えます。

ただし、直前講習を検討するとしても、まずは過去問を完璧に仕上げることを優先してください。

テクニックや時事問題による得点は全体から見れば一部であり、テストの結果を左右するのは、やはり土台となる体系的な知識であり、実践的な問題を解く力です。

直前講習については、あくまでスケジュールに余裕があるときに受けるという前提で、ロードマップを作ることをお勧めします。

学習ロードマップ作成事例：「ＭＯＳ」試験と英語学習の場合

学習ロードマップ事例：MOS Word&Excel／60時間

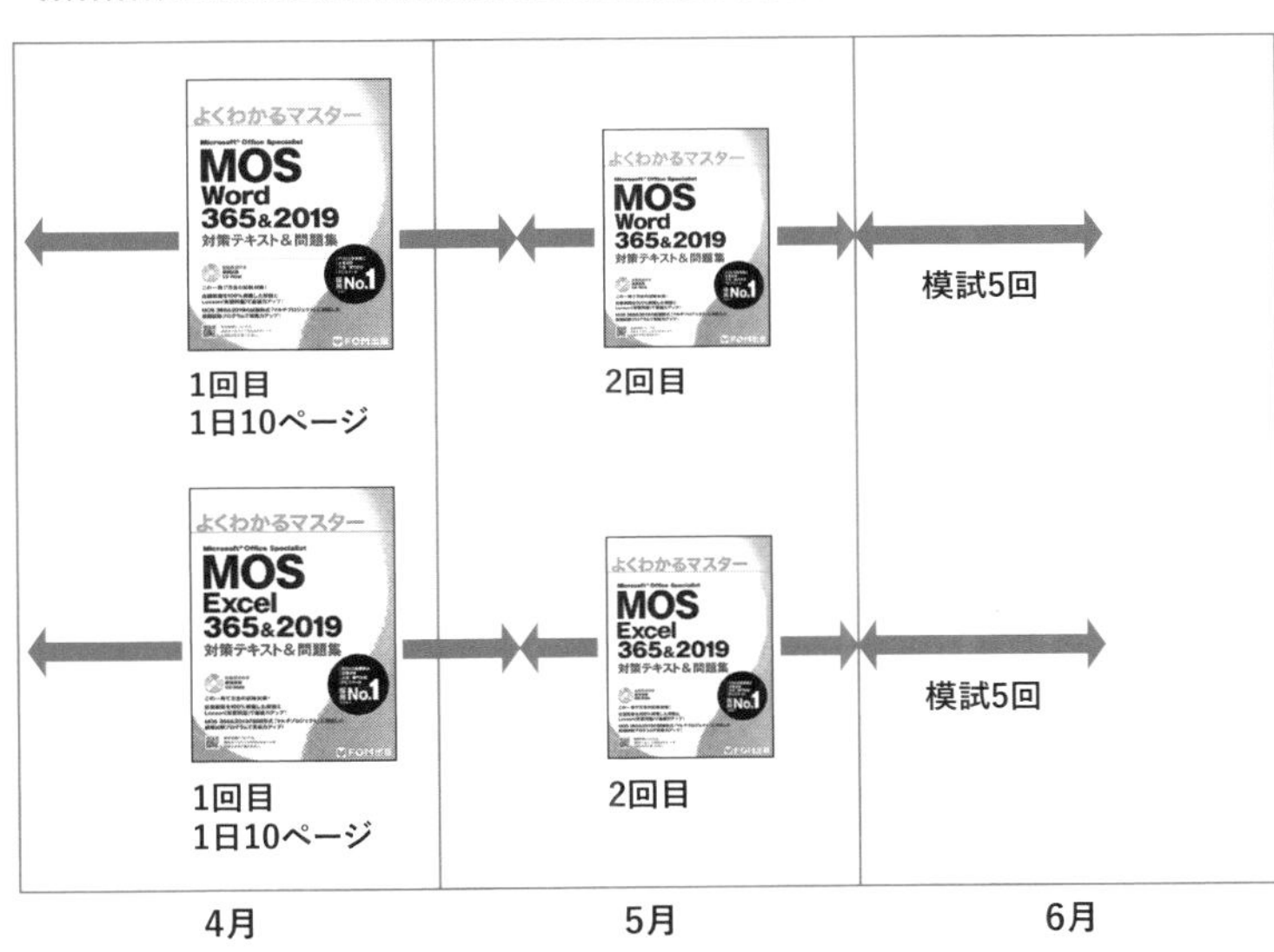

試験科目や学習コンテンツごとに教材を並べる必要がある場合は、学習ロードマップのカテゴリーも複数列になります。

マイクロソフトオフィススペシャリスト（ＭＯＳ）で「ワード」と「エクセル」を両方受験する場合は、上のようなロードマップになります。

作成の基本手順は宅建士と同じです。ＭＯＳは必要学習時間が約六〇時間と比較的少なく、試験も毎月行われているので、より短期間でゴールを目指すことが可能です。

続いて、ＴＯＲＡＩＺの受講生の

学習ロードマップ事例：英語

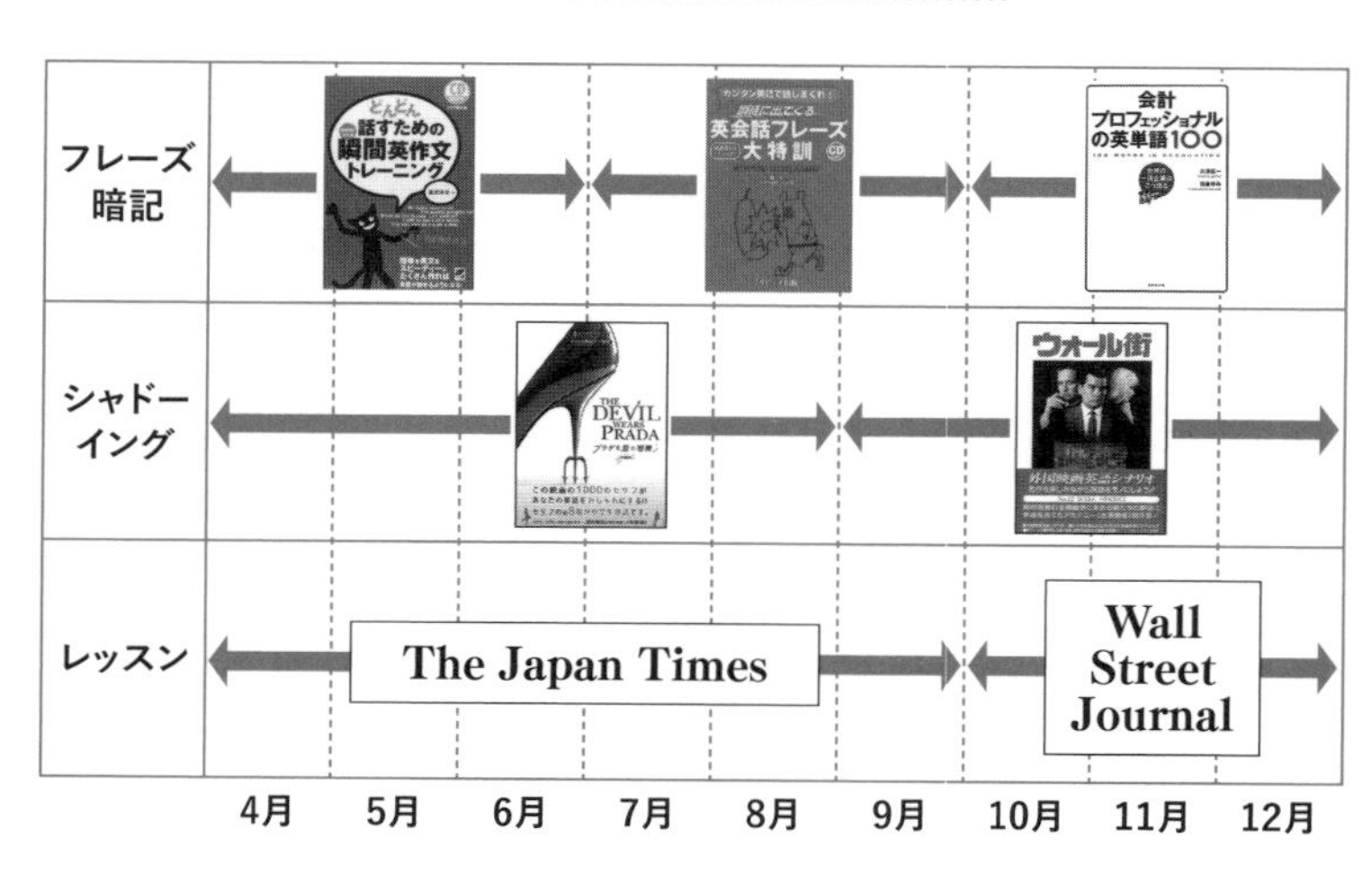

事例も紹介しましょう。

前述の通り、ＴＯＲＡＩＺでは、シャドーイングと即時構文（フレーズ暗記）をトレーニングの柱としています。さらに、ネイティブのコーチによるレッスンやグループレッスン（上図の事例では英字新聞の記事を題材に会話レッスン）で、実際のコミュニケーションに必要なスキルを磨きます。

よって学習ロードマップのカテゴリーは三つになります。いずれも最初は難易度が低いものからスタートし、最終教材はその人の目標や仕事に直結したものを選びます。

私たちは六〇〇〇人分のデータがあるので、標準的な学習ペースも把握しています。

例えば「フレーズ暗記」の一冊目としてお勧めする『どんどん話すための瞬間英作文トレーニング』（ベレ出版）なら、一日で見開き二ページずつ、三ヶ月間で進めれば、ほとんどの人はこの教材の内容がスラスラ口から出るようになります。

学習ロードマップができれば、学習プログラムのデザインは八割がた終わったようなものです。

手間がかかると感じた人もいるかもしれませんが、これぞ急がば回れです。

ここでしっかりとした地図を描くから、山の頂上に最短最速で辿り着くことができるのだと心得てください。

STEP5

学習スケジュールを立てて習慣化する

第5章

学習ロードマップが完成し、ゴールまでの道のりが見えてきました。ただし、実際に学習を進めるには、まだやるべきことがあります。

それが「学習スケジュール」の作成です。

ゴールに到達するために必要な学習時間をブレイクダウンし、日々のスケジュールに組み込まなければいけません。

ポイントは、「習慣化」を可能にするスケジュールをデザインすること。

学習は毎日継続するのが基本です。

「平日は忙しいから、土日でまとめてやろう」と考えるのはNG。筋トレも週に一度では効果が期待できないように、学習効果を高めるには、日々の継続がかかせません。

ただし、社会人なら仕事と学習を両立しなければいけないので、スケジューリングにも工夫が必要です。「今週は忙しくて全然勉強ができなかった」という結果にならないように、学習スケジュールを組む段階から、毎日継続しやすい設計を考えることが大事です。

「せっかくスケジュールを立てたのに、予定通りにできなかった」という失敗体験が続くと、挫折しやすくなります。確実にゴールへ到達するためにも、「今日もできた」という成功体験を重ねられる学習スケジュールを作成しましょう。

習慣化すれば毎日勉強するのが当たり前に

学習ロードマップの作成によって、一日の必要学習時間がはっきりしました。**次の問題は、一日の中でどのようにその時間を確保するか**です。毎日のスケジュールに落とし込み、習慣化しなければ、ゴールには辿り着けません。

習慣化とは、「これをやらないと気持ち悪い」と感じるくらい、毎日やるのが当たり前の状態を指します。

皆さんも「食事の後に歯磨きをしないと気持ち悪い」と感じるでしょう。それは歯磨きが習慣化しているからです。

同じように学習も習慣化すれば、毎日勉強するのが当たり前になります。

ただし、習慣化には一定の時間がかかります。

いろいろな説があるのですが、ロンドン大学のフィリッパ・ラリー博士らが九六人の学生を対象に行った実験によると、特定の行動が習慣化するまでの期間は、平均で六六日でした。

つまり「勉強しないと気持ち悪い」という状態になるには、学習を始めてから約二ヶ月かかるわけです。

「そんなにかかるのか……」と思った人もいるでしょう。

でも大丈夫です。

学習スケジュールの立て方次第で、より短期間で学習を習慣化できます。

その**秘訣は、摩擦係数をできるだけ少なくすること**。

学習を始めるのにかかるストレスや手間を小さくできれば、学習を毎日継続しやすくなります。失敗体験もブレーキになるので、「今日もスケジュール通りにやれた！」という成功体験を積み重ねることが大事です。

ここからは、習慣化するための学習スケジュールの立て方について解説します。

習慣化するための「二つのポイント」

社会人が学習を習慣化できない最大の理由は、「仕事が忙しくて時間がない」です。

しかし、どんなに多忙な人でも時間は作ることができます。

ポイントは次の二つです。

ポイント❶ 「朝の時間」を使う

人間には「朝型」と「夜型」がいます。

なかには体質的にどうしても朝が弱い人もいるかもしれません。しかし社会人であれば、基本的には朝を中心に学習スケジュールを組み立てるのがベストです。

なぜなら、**夜のスケジュールは完全にはコントロールできない**からです。

仕事をしていれば、急な残業が入ることもあるし、仕事帰りに飲み会に誘われることもあります。コロナ禍以降、会食やお酒の席は減っていると思いますが、残業についてはどうしてもゼロにはできない人も多いのではないでしょうか。

ＴＯＲＡＩＺの受講生とスケジュールの相談をしていても、この点が最大のハードルになるケースがほとんどです。

上司に急な仕事を振られないように、朝の段階で必ず今日の段取りを確認するとか、仕事の手戻りや二度手間が発生しないように、早め早めにすり合わせをしながら進めるとか、様々な工夫はしてみるものの、そんなことはお構いなしに残業を依頼する上司はいるものです。また、至急の対応を迫られるトラブルやミスの発生を一〇〇％防ぐのも困難です。

最大の問題は、急な残業が発生して計画通りに学習時間を確保できなかった場合、それが本人にとって失敗体験になってしまうことです。

「帰宅後に二時間勉強するはずだったのに、今日もできなかった」と思うと、計画通りにできなかった自分が嫌になります。それが何度も繰り返されると、嫌な気分に耐えきれず、「こんな思いをするくらいなら、勉強なんてしなくていいや」と投げ出してしまうのです。

それを避けるには、自分がコントロールできる時間帯を活用して、毎日着実に学習を続けることが大事です。

「今日も計画通りにできた！」という成功体験を積み重ねることが、モチベーションを維持する何よりの秘訣です。

では、社会人がコントロール可能な時間帯はいつかといえば、出社前しかありません。上司や顧客から電話やメールがくることもないので、急な予定変更が発生することもなく、計画通りに学習を進められます。

時間を作るのも簡単で、今より一時間や二時間、早起きすればいいだけです。

早起きが苦手という人もいるでしょう。しかし、残業しないために、上司への対応や気遣いで余計な労力を使うくらいなら、起床時間を少し前倒しする方が何倍もラクです。それに、永遠に早起きを続けるわけではありません。ゴールを達成するまでの期間限定だと思えば、なんとか頑張れるのではないでしょうか。

仕事の種類やライフスタイルによっては、夜の方が時間を確保しやすい人もいるかもしれませんし、後述するように就寝前の時間にやると効率が上がる学習もありますが、基本的には朝の時間を有効活用することが学習を習慣化するコツだと考えてください。

なお、朝の時間は誰にも邪魔されずに一人で集中できるのがメリットですが、体感覚型の人については、朝の時間も人との関わりが発生する学習方法を選ぶと、モチベーションが続きやすくなります。

例えば、出社前に英会話のオンラインレッスンを受けたり、学習仲間を作ってカフェで一緒に勉強したりするのは、お勧めの方法です。

一人で勉強するとしても、自宅でやるよりは、人の目がある場所の方が集中できる人も多いのが体感覚型の特徴です。その場合は早めに家を出て、会社近くのカフェで勉強してから出社する、といったスケジュールを立てるといいでしょう。

ポイント❷　「隙間時間」を使う

忙しい社会人にとって、隙間時間も貴重な学習時間になります。ちょっとした空き時間も見逃さず、どんどん有効活用しましょう。

◉通勤時間で学ぶ

通勤時間はぜひとも活用すべき隙間時間です。

「隙間」と言っても、片道で一時間近くかかる人も少なくありません。往復で二時間となれば、それだけで一日の必要学習時間の大半をクリアできてしまうはずです。

電車通勤なら、視覚型の人はテキストを読んだり、聴覚型の人は音声教材を聞いたりと、様々な学習が可能です。ＴＯＲＡＩＺの受講生はシャドーイングをする人が多く、周囲に迷惑にならないくらいの小さな声で、英語をブツブツ口から出しています。

電車に乗る時間が短い人には、あえて一駅か二駅前で降りて、歩きながらシャドーイングすることを勧めています。

歩くリズムに合わせて口から音を出すと、英語の音節やイントネーションを真似しやすく、本人も気持ちよくトレーニングできるのがメリットです。電車内のように周囲の目を気にしなくていいのも気がラクです。

都市部では健康のために自転車で通勤する人が増えていますが、自転車を運転しながらシャドーイングをすると、気を取られて事故につながりかねません（自転車運転中のスマホの使用は、道路交通法で禁止されています。イヤホンの使用も、多くの自治体の交通規則・条例で禁止されています）。そこで、学習目標を達成するまでは電車通勤に切り替えるように勧めています。

このように、場合によっては**通勤スタイルから見直して、通勤時間を最大限に有効活用してください。**

～しながら学ぶ

これまで通勤時間は社会人なら誰もが確保できる学習時間だったのですが、現在はリモートワークが広がり、通勤時間がなくなったという人が増えました。

よって、自宅にいながら、隙間時間をどう活用するかが新たな課題となります。

それを解決する有効な手段が「ながら学習」です。

何かをしながら、同時に学習する。これで時間の価値は二倍になります。

例えば、お風呂に入りながら学習することもできます。

聴覚型の人なら、防水タイプのスマホやＩＣレコーダーを浴室に持ち込んで聞くといいでしょう。視覚型の人なら、テキストに防水タイプのブックカバーをかけたり、防水機能付き電子書籍端末を使えば、入浴しながら学習が可能です。

他にも、キッチンで食事の支度をしながら音声教材を聞く、トイレに入るたびに壁に貼った単語リストやテキストのコピーを見る、といったながら学習もできます。

ＴＯＲＡＩＺの受講生に勧めているのが、家のあちこちに教材を置いておくこと。例えば英語のフレーズを録音したＩＣレコーダーを、お風呂にもトイレにもキッチンにも置いて、そこへ行ったら必ずスイッチを入れて聞く。家じゅうどこでも、ながら学習ができる環境を作ってしまうわけです。

また、**リモートワーク中の人にお勧めなのが、ウォーキングしながらの学習**です。

在宅勤務の場合、上司に急な残業を頼まれる機会は減りますが、代わりに家族との関わりが増えます。子どもに遊んでほしいとせがまれたり、家族に用事を頼まれたりすることも多く、意外と自分の時間をコントロールしにくいという声も聞かれます。

そこで自宅の外に出て、一人で過ごす時間を作るのが、学習時間を確保するコツです。

通勤時間の活用法で、歩きながらシャドーイングする例を紹介したように、ウォーキングしながらでも耳から聞いたり、口に出して覚えたりして学ぶことができます。「リモートワークで運動不足だから、ウォーキングする」といえば、家族の理解も得られますし、実際に運動不足の解消にもなるので一石二鳥です。

スケジュール作成「六つのルール」

では、実際にスケジュールを立ててみましょう。

１６７ページに、スケジュールを書き込める「週次学習スケジュール・シート」を添付しました。こちらを使ってもいいですし、エクセルなどでオリジナルのスケジュール表を作ってもいいでしょう。

スケジュールを作成するときは、いくつかのルールがあります。これらに従って予定を組むことで、学習を習慣化しやすくなります。

ルール❶「一週間単位」でスケジューリングする

学習スケジュールは、一週間単位で立てるのが基本です。

理由は「一週間の中で帳尻を合わせればいい」と考えると、無理なく続けられるからです。

一日の必要学習時間が三時間だとしても、仕事や家庭の都合でどうしても時間を確保するのが難しい日もあるでしょう。そんなときも、一週間単位で考えれば「今週の水曜は一時間しか学習できないので、代わりに金曜と土曜の学習時間を一時間ずつ増やそう」といった調整ができます。

もし、毎日必ず三時間学習することを前提にスケジュールを組んでしまうと、計画通りに実行できなかったときに「今日も勉強できなかった」という失敗体験だけが残ります。

よって、**一日単位ではなく、一週間の中で必要学習時間を達成できるようにスケジューリングするのが、挫折しないコツ**です。

「どこかで帳尻を合わせるなら、二週間単位や一ヶ月単位でもいいのでは?」

そう思うかもしれませんが、スパンが長すぎるのも良くありません。

なぜなら人間にとって、「七」より大きな数字を扱うのは難易度が高いからです。

週次学習スケジュール・シート

年　月　日

	月曜日	火曜日	水曜日	木曜日	金曜日	土曜日	日曜日
4:00							
5:00							
6:00							
7:00							
8:00							
9:00							
10:00							
11:00							
12:00							
13:00							
14:00							
15:00							
16:00							
17:00							
18:00							
19:00							
20:00							
21:00							
22:00							
23:00							
24:00							
1:00							
2:00							
3:00							
4:00							
学習時間	時間	時間	時間	時間	時間	時間	時間

カテゴリー別学習時間		
	(　　)	時間
	(　　)	時間
	(　　)	時間
	合計学習時間	時間

米国の心理学者ジョージ・ミラーは、人間が短期的に記憶できるチャンク（情報の塊（かたまり））の数は七つ前後だとする「マジカルナンバー七±二」と呼ばれる理論を提唱しました。

また経営学でも、一人の上司が管理できる部下の数はせいぜい七人までだとする「スパン・オブ・コントロール」の原則が知られています。アマゾン創業者のジェフ・ベゾスも、「一つのチームは、ピザ二枚を囲める人数以下にしなければいけない」というルールを提唱していて、五人から八人程度の少人数体制を推奨しています。

よって、理論的に考えると、時間管理も「七日間」のサイクルで回していくのが、人間にとって最も管理しやすいと言えます。


これは皆さんも、感覚的に納得できるのではないでしょうか。

「今週できなかったぶんは来週やろう」と思っても、いざ翌週になると「今週も忙しくてやっぱりできなかった」となりがちです。

必要学習時間は一週間の中でやり切ることを前提に、スケジュールも一週間単位で立てるのが鉄則です。

ルール❷ 週に一日は「予備日」にする

一週間単位でスケジューリングする際は、そのうち一日を予備日として空けてください。先ほども言ったように、どうしても必要学習時間をこなせない日もあります。急に体調が悪くなったりすることもあるでしょう。

その場合は、足りない時間を予備日で補います。

平日に仕事をしている人なら、週末の土曜か日曜を予備日にすると調整しやすいはずです。

もちろん、頑張って計画通りに学習をこなしたら、予備日を休養日にしても構いません。数ヶ月や一年の間、ずっと全力で走り続けるのは難しいので、適度にリフレッシュすることも大切です。

ルール❸ スケジュール表は「朝から」作る

前述の通り、社会人は朝の時間をいかに有効活用するかが目標達成のカギです。

なかには「出社前に時間を作るには、朝四時に起きて、五時から勉強しなくては」という人もいるでしょう。

市販の手帳は、朝八時や九時以降の予定しか書き込めないものも多いので、学習スケジュールをデザインするには不向きです。

167ページの**「週次学習スケジュール・シート」**は朝四時から始まり、二十四時間の予定を書き込めます。自分でフォーマットを作る場合も、早朝から記入できるように時間を設定してください。

ルール❹「細切れ」に組み立てる

隙間時間を使った学習スケジュールも、忘れずに書き込んでください。

駅から会社まで歩いている時間や、キッチンで料理をしている時間、お風呂に入っている時間なども、ながら学習の予定としてスケジュール表に入れていきます。

一回の隙間時間はわずか十五分でも、一日に四回、五回と積み重なれば、すぐに一時間や一時間半は学習時間を確保できるでしょう。

「机に向かって一時間や二時間は集中しなければ」と考えると、「仕事が忙しくて、とてもそんな時間はない」とくじけてしまいますが、細切れの学習時間をスケジュールにきちんと組み入れていけば、「自分はちゃんと必要学習時間をこなせる」という自信につながります。

ルール❺ 就寝前と翌朝に「復習」の時間を作る

朝や隙間時間を中心に学習時間を配分するのがスケジュール作成の基本ですが、一つだけ夜寝る前にやってほしいことがあります。

それは、復習です。

短い時間で構いませんので、今日学んだことを読み返したり、問題の答えを確認したりして、おさらいしてから就寝してください。

さらに翌朝起きたら、昨晩復習した内容をもう一度確認します。

「就寝前＋翌朝」のセットで復習することで、記憶の定着が良くなり、学習効率を向上させることができます。

これにも、科学的な根拠があります。

人間の脳には、記憶や空間学習能力を司る海馬という器官があります。

海馬は、私たちが起きている間に脳に入ってきた断片的な情報を整理し、必要だと判断したものを仕分けて、長期記憶として大脳皮質に保存します。いわば書類をファイリングし、タグ付けしてから保管庫にしまうようなもので、この働きがあるから必要なときに必要な情報を検索して、脳から引っ張り出すことができるわけです。

このタグ付けの作業は、睡眠中に行われます。

よって、情報をインプットしてから就寝すれば、寝ている間に学んだ情報が整理され、学習内容を思い出しやすくなります。さらに翌朝起きてから再度その情報を確認すれば、学習内容がしっかりタグ付け保存されたことをチェックできます。

睡眠が記憶の定着を促すことは、様々な実験結果から明らかになっています。

長期記憶は、陳述記憶と非陳述記憶に区分されます。

陳述記憶とは、言葉やイメージとして内容を想起でき、さらにその内容をアウトプットできる記憶です。ペーパーテストで問われるのは、この陳述記憶です。

非陳述記憶とは、自分では想起することも言語化することもできないが、無意識の行為の中に現れる記憶です。例えば自転車に乗る方法を一度覚えてしまえば、あとは何も考えなくても自動的に体が動くようなケースが代表的です。

学習においては、「一度英語のフレーズを覚えてしまえば、いちいち単語や文法を思い出さなくても自然と口から出る」といった状態が該当します。

この陳述記憶と非陳述記憶は、どちらも睡眠によって改善することが確認されています。学習後に睡眠をとると、同じ時間だけ覚醒していた場合と比較して、陳述記憶では想起が改善され、非陳述記憶ではスキルの速さや精度が改善されます。

また、学習内容に干渉する他の情報が入ってきた場合も、睡眠をとった人は覚醒していた人に比べて、陳述記憶と非陳述記憶の両方でパフォーマンスの低下が少ないという実験結果があります。

（出典：田村了以「睡眠と記憶固定―海馬と皮質のダイアログ―」／『心理学評論』二〇一三年 五六巻二号 二一六～二三六ページ）

睡眠による記憶の固定効果を最大限に活かすには、「インプット→睡眠→チェック」の流れを毎日のスケジュールに組み込むのが有効です。

せっかく努力して覚えたことや身につけたことを無駄にせず、記憶として定着させるために、就寝前と翌朝の復習をルーティンにしましょう。

ルール❻ まずは一回やってみる

一週間のスケジュールを作ったら、まずは一回、そのとおりに実行してみましょう。

実際にやってみると、想定とは異なることも出てきます。

「出社前に自宅で二時間勉強しようと思ったが、集中力が続かない。一時間やったら移動して、残り一時間は会社近くのカフェでやってみよう」

「リモートワークの日は夕方にウォーキングしながらシャドーイングをしようと思ったが、この時間はクライアントから急な連絡が入ることもあるので家を出にくいな。だったら気分転換を兼ねて、お昼時にやってみようか」

このように、自分にとってより効果的・効率的な学習スケジュールを再検討し、翌週のスケジュールを組み立てて、また実行してください。

しばらくＰＤＣＡを回してみると、自分にとってベストな学習スケジュールがわかるはずです。

column

最短最速で暗記するテクニック

記憶の定着には毎日の復習が効果的だと話しましたが、プラスαの工夫をすることで、さらに学習内容を覚えやすくなります。

特にテストでよく出る「暗記もの」については、意味づけたり、ストーリーに置き換えたりすることで、長期記憶として定着しやすくなります。

■英単語

まず前提として、英語を話せるようになることが目標なら、むやみにたくさんの英単語を覚えようとする必要はありません。

なぜなら英語の日常会話でよく使われるのは三〇〇〇語程度で、そのほとんどは日本人が中学・高校で学んでいるからです。

基本的な英単語でも自信がないという人は、「The Oxford 3000」(https://www.oxfordlearnersdictionaries.com/wordlist/)に掲載されている単語をチェックして、知らない単語や忘れている単語だけを覚えるのが効率的です。

これは世界で最も権威ある辞書とされる『オックスフォード英語辞典』を発行するオックスフォード大学出版局が、日常会話に登場する頻度の高い三〇〇〇語をリストアップしたものです。ネイティブとのコミュニケーションも、これさえ覚えれば十分です。


とはいえ、TOEICや英検、大学入試などが目標であれば、さらに多くの単語を覚える必要があるでしょう。

その場合も、ただひたすら機械的に頭に詰め込もうとするのは非効率的です。お勧めは、語源から覚えていくこと。接頭辞や接尾辞との組み合わせで意味づけすると、どんどん単語を覚えられます。

例えば、接頭辞の「ex」には「外に」という意味があります。

「export」は「ex + port（港）」で、港の外へ出ていくから「輸出」。「expire」は「ex + spir（息をする）」で、息を外へ出す（息を引き取る）から「終了する」。

このように意味づけすれば、頭に入りやすくなります。

反対に「in/im」には「中に」という意味があるので、「import」は港の中に入ってくるから「輸入」、「inspire」は息を吹き込むから「鼓舞する・刺激を与える」と覚えられます。

こうして組み合わせで暗記すれば、頭に入っている単語数を三〇〇〇語から五〇〇〇語、一万語へと高速で増やしていくことが可能です。

■漢字

漢字も同様に、語源から覚える方法が効率的です。

漢字研究の第一人者として知られる白川静氏が編纂（へんさん）した漢字辞典『字通』には、それぞれの漢字の成り立ちが解説されています。

「黒」は木を燃やしたすすを袋に詰めて黒い墨を作っている様子から、「光」は聖火を掲げて守る人の姿からできている、といった語源が紹介されているので、ストーリーやイメージで意味づけしながら覚えられます。

■世界史

歴史もまずはストーリーで流れをつかむと、出来事や人物名なども暗記しやすくなります。

私が受験のために世界史を勉強したときは、ローマ史ならまず『ローマ帝国衰亡史』（エドワード・ギボン）などを読んで、全体の流れを理解するところから入りました。物語としても面白く、おかげでテストに必要な情報も苦労することなく覚えられました。

これを無味乾燥な年表で暗記しようとしたら、ほとんど頭に入らなかったはずです。

スケジュールの運用で挫折しない「五つのコツ」

週次の学習スケジュールを作ったら、次は運用です。

学習効率を最大限に高めながら、挫折することなくスケジュールをこなしていくには、いくつかのコツがあります。

コツ❶　一日の達成度は「七割」でいい

毎日の学習で完璧を目指してはいけません。完璧主義は挫折のもとです。

一日の達成度は、七割で良しとしましょう。その日の学習範囲について、「七割くらい覚えられた」「七割くらい理解できた」と思えたらOKです。

そして就寝前に全体をざっと復習したら、ぐっすり眠りましょう。就寝中に記憶が整理され、翌朝もう一度チェックしたときには「昨日覚えられなかったところも思い出せる！」ということが多いものです。

翌朝はまだ完璧ではなくても、また次の朝、さらに次の朝と復習を繰り返すことで、確実に覚えたり、理解度を高めたりできます。

スケジュールと同様、達成度も「一週間で帳尻を合わせればいい」と考えてください。

コツ❷「起きたらすぐ学習」の準備をして寝る

就寝前に復習したら、そのテキストや教材は机の上にそのまま開いておきましょう。

いったん片付けて、起きてからまたテキストや教材を出して……というのは、結構面倒なもの。ささいなようでいて、意外と大きな摩擦係数になります。

起きてすぐ机に向かえば、昨夜復習したページや箇所が目に入る。これくらいスムーズに朝の学習を始められるようにするのがコツです。

きれい好きな人は、机の上に出しっ放しのまま寝るのは気が進まないかもしれませんが、これもゴールを達成するまでの間と割り切りましょう。

コツ❸ あらかじめ「ペース配分」を決める

学習スケジュールを運用する際に大事なのは、必要な学習時間をこなすことだけではありません。

一日の学習範囲をやり切ることも重要です。

学習ロードマップを作ったときに、「参考書を一日に一〇ページ読む」「問題集を一日に一〇問解く」といった一日の学習範囲を決めました。

ただし、なんとなく勉強を始めてしまうと、「今日は七ページしか読めなかった」「八問しか解けなかった」といったことになりがちです。

一日の学習範囲を確実に終わらせるには、あらかじめペース配分を決めることが重要です。

二時間で参考書を一〇ページ読むなら、見開き二ページにつき二十四分の配分で進める必要があります。このペースを守って読めば、二時間で今日の学習範囲をやり切ることができます。

ところがペース配分を決めないと、わからないところで止まってしまったり、難しいところを延々と繰り返し読んだりします。それが結果的に「今日も学習範囲が終わらなかった」という失敗体験につながってしまうのです。

達成度は七割でいいのですから、「ひとまずは一読すればＯＫ」として、二十四分が経ったら次の見開きへ移りましょう。

理解しきれなかった部分は復習で補うこともできますし、「ステップ４」でも説明した通り、参考書を読んだだけでは理解できなかったことも、問題集を解くうちに理解できるようになったりします。一度で完璧にすることは前提としないのが、運用の鉄則です。

それよりも、一日の学習範囲を小さくブレイクダウンし、ペース配分を決めて進捗管理することを重視してください。

コツ④ 教材の中に閉じこもらない

とはいえ、「復習してもやっぱりわからない」「問題集を解いても理解できない」ということもあるでしょう。

その場合は、教材の中だけで解決しようとしないことです。

ネットで検索すれば、「○○の問題はこうやって解け！」といった情報がヒットするかもしれませんし、「△△の資格試験で必要な用語はこう覚えろ！」という動画が見つかるかもしれません。あるいは、同じゴールを目指す人がネット上で集まるコミュニティサイトで、「会計士の試験問題でここがよくわからないのですが、皆さんはどう解釈していますか？」などと質問してみるのもいいでしょう。

身近にロールモデルがいれば、「この出題範囲がなかなか覚えられないのですが、暗記するコツはありますか？」と相談するのもお勧めです。

どうしても理解できないのに、一人で教材と向き合ってウンウン唸（うな）っているのは時間の無駄です。

必要に応じて他の媒体やコンテンツにも当たりながら、できるだけ効率的に学習スケジュールを実行していきましょう。

コツ⑤ 運用しながら学習計画を見直す

学習ロードマップや学習スケジュールを運用してみて、順調に実行できるなら問題ありません。そのまま計画通りに、ゴールへ向かってください。

しかし、ここまでに紹介したコツを実践しても、「やはりスケジュール通りに進まない」というケースもあります。

その場合、失敗体験を増やすよりは、学習スケジュールを見直した方がいいかもしれません。あるいは学習ロードマップから改定した方がいいケースもあります。

すでに述べた通り、学習もプロジェクトです。ビジネスのプロジェクトでも、運用段階で計画通りに進まないことが出てきたら、「納期・コスト・品質」のいずれかを見直すことはよくあります。

よって学習でも、計画通りの運用が難しいと判断したら再考が必要です。

見直しをする際に重要なのは、「学習の質と量のバランス」を考えることです。

TOEICで八〇〇点を目指していたが、期限までに必要学習時間を達成することが難しいなら、「まずは七〇〇点を目指そう」という質の調整が必要になるかもしれません。

あるいは、MOSを二ヶ月後に受けようと考えていたが、仕事が繁忙期に入って学習時間を確保できないので、「一日の学習時間を減らして五ヶ月後に受験しよう」といった量の調整が必要になるかもしれません。

その一方で、宅建士のように年に一度しか受験の機会がなく、「どうしても今年の試験で合格したい」というなら、一日の学習時間を増やすといったことも検討しなくてはいけないでしょう。

いずれの場合も、勉強の質と量のバランスを考えて、学習スケジュールを再検討してください。

気をつけなくてはいけないのが、「当初の予定通り学習時間をこなしてさえいれば、それでいい」と勘違いすることです。

特に日本人は真面目で几帳面なので、「一日の必要学習時間である三時間をこなせてよかった」というだけで満足しがちです。

しかし必要学習時間は、あくまで学習目標を達成するための目安であり、毎日三時間の勉強をすることが目的化しては意味がありません。

学習目標が決まっていて、学習ロードマップという枠組みがあるから、「学習の質を少し落とそうか」「学習の量を減らそうか」といった調整が可能になるのであって、そもそもゴールが明確でなければ、スケジュールの調整さえできません。

学習をデザインするために、なぜいくつものステップを踏む必要があったのか、ここまで読んでいただいた皆さんなら理解していただけると思います。

運用しながら学習の質をさらに上げる「三つの工夫」

自分で決めたスケジュールやペース配分で学習を進めつつ、工夫次第でさらに学習の質を上げることが可能です。ぜひ次の点を心がけてみてください。

工夫❶ 必要な「睡眠」はしっかりとる

復習の必要性を説明した際も、睡眠がなぜ大事かはお伝えしました。

仕事が忙しい人ほど、「睡眠時間を削って学習時間を確保する」という発想になりがちです。

もちろん、これまでたっぷり寝ていた人なら、多少は睡眠時間を減らす必要があるかもしれません。ただし、すでに最低限の睡眠時間で仕事をこなしている人が、それ以上に寝る時間を削るのは絶対にやめてください。

そんなことをすれば、学習効率は著しく低下します。

この事実に気づかせてくれたのは、他でもない孫社長でした。

孫社長はとてつもないハードワーカーですし、一般の人より平均的な睡眠時間が短いのは確かです。

それでも、完全な徹夜をすることはありませんでした。どんなに仕事が遅くなっても、いったん自宅に帰って寝る。それが孫社長のルールです。

前述の海馬の話を知っていたかはわかりませんが、「睡眠を取らなければ、仕事で成果を出せない」と経験から理解していたのでしょう。


TORAIZ受講生のVERSANTスコアを分析しても、**睡眠時間を三時間や四時間に削っている人は、点数が上がらない**ことが明らかになっています。

「決算期なので睡眠時間を削るしかない」という人には、繁忙期が終わるまで休会することをお勧めしているほどです。


睡眠は、決して無駄な時間ではありません。

学習の質を上げるには必要不可欠な時間と考え、睡眠時間を確保することを前提として、学習スケジュールを運用してください。

工夫❷ 「スマホ」の使い方に注意する

学習スケジュールを立てて、その通りに実行しようとしても、それを阻(はば)む誘惑は多いものです。

その筆頭は、スマホでしょう。手元にあると、ついLINEをチェックしたり、ネットサーフィンの旅に出てしまったりします。

テキストをスマホで撮影して電車内で見たり、ダウンロードした音声教材を聞いたりと、学習には便利なツールですが、使い方には工夫が必要です。

理想的なのは、「学習にはタブレット、私用は「スマホ」などとツールを完全に分けることです。

タブレットにはSNSやゲームなどのアプリは入れず、学習専用にすれば、勉強中に余計な情報が入ってくることはありません。あるいは、使わなくなった古いスマホを学習用にするのもいいでしょう。

音声教材なら、スマホではなくICレコーダーに録音するのもお勧めです。

工夫③ 必要なら「学習場所」に投資する

学習する場所もよく考える必要があります。

リモートワークが拡大し、「一日中自宅にいるなら、いくらでも集中して勉強できるじゃないか」と思うかもしれませんが、話はそう簡単ではありません。

すでに述べた通り、最適な学習スタイルは人それぞれ異なります。

視覚型なら、自宅の机でテキストを広げて、じっくり読み込むのが効果的かもしれませんが、聴覚型なら外を歩きながらイヤホンで教材を聞いた方がいいかもしれないし、体感覚型ならカフェで勉強した方がいいかもしれません。

また本当は自宅で勉強したくても、スペースがないとか、家族がいて集中できないという人もいるでしょう。それならいっそのこと、社会人向けの自習室や個室のあるコワーキングスペースを借りるのも一つの方法です。料金はかかりますが、学習ROIから見て「投資する価値がある」と思えば、そのお金は決して無駄になりません。

自分にとって最も学習効率が高い環境を検討することも、学習の質を高めるには必要です。

column

習慣化に役立つアプリ「Studyplus」

最近は、学習の進捗や目標達成度を管理できるアプリがいろいろと登場しています。

なかでもお勧めは、「Studyplus（スタディプラス）」です。

自分が使用しているテキストや学習コンテンツを登録すると、月・週・日単位で教材ごとに勉強時間や勉強量が自動的に記録されます。グラフで可視化されるので、目標時間に対する現在の達成度もひと目で把握できます。

SNSと連携も可能で、同じ目標を目指す人や同じ教材を使っているユーザーと情報交換できる機能もあります。

TORAIZの受講生にもお勧めしている便利な学習管理アプリです。

STEP6

フィードバック・サイクルを回す

第6章

学習を継続する上で、最も挫折につながりやすいのが、自分がどれくらい前に進んでいるのかわからなくなってしまうことです。

果たして自分はちゃんとゴールに近づいているのか。自分は頑張っているつもりでも、実は同じところで足踏みしたり、道を間違えたりしているのではないか。

学習期間が長くなるほど、そんな不安や焦りが生まれるものです。

そこで大事なのが、「フィードバック・サイクル」を回すことです。

客観的な指標や第三者からの評価によって、定期的に自分の現在地を把握し、計画通りに前へ進んでいることを確認する。

このサイクルを回すことで、意欲的に学習を続けられます。

フィードバックをモチベーションに結びつけるためのカギが、第4章で紹介した「ARCSモデル」の「自信」と「満足感」です。

「この学習を続ければ、必ず目標を達成できる」という自信と、「勉強してよかった」という満足感が、学習を継続する大きな原動力になります。

もちろん独学の人も、様々な方法でフィードバックを受けることができます。それを自信や満足感につなげるコツもご紹介しましょう。

この章を読めば、ゴールに向けて確実に進んでいけるはずです。

フィードバックなくして、ゴールには到達できない

一週間単位の学習スケジュールが回り出したら、あとは一直線にゴールを目指すだけです。

……と言いたいのですが、実際はそう何もかもが順調に進むわけではありません。

「本当にこの学習法でいいのか？」「学習達成度は上がっているのか？」と不安になることもあれば、「参考書のこの部分がどうしても理解できない」といった壁にぶつかることもあります。

前に進みたいのに進めない。

そんな状況に陥る可能性は、誰にでもあります。

そこで学習意欲を失ったり挫折したりしないために必要なのが、フィードバックです。

今の自分の状況を客観的に評価し、「自分はちゃんとゴールに向かって進んでいる」と確認できることが、学習を継続する原動力になります。

特に独学の場合は、ゴールまで孤独な道のりが続くため、主観的な思い込みや決めつけ

で自分を評価しやすくなります。ちょっとしたつまずきで、「どうせ自分はダメだ」と自己否定して、勉強そのものがイヤになってしまうケースは少なくありません。

よって**独学の人こそ、意識的にフィードバックの機会を作ることが大事**です。自分の現在地を客観的かつ冷静に評価し、「自分はここまで進めた」と確認したら前に進み、またしばらくしたら自分の現在地を評価する。このフィードバック・サイクルを回すことが、確実にゴールへ到達するためには欠かせません。

フィードバックの方法としては、やはりテストを活用するのが王道です。点数や合否で客観的に現在地を把握できるからです。

英会話を勉強中なら、定期的にVERSANTを受ければ、リスニング力・スピーキング力の上達度を評価できます。あるいは資格試験を勉強中なら、最終ゴールは「一年後に一級合格」だとしても、まずは三ヶ月目に四級を受け、六ヶ月目に三級、九ヶ月目に二級と、段階的に試験を受ける方法もあります。

こうして最終ゴールまでの過程で、細かなゴールをいくつも設定することがフィードバック・サイクルを回すコツです。

「自信」「満足感」でポジティブなフィードバックを回す

ただしフィードバックをネガティブに受け止めてしまったら、逆効果になります。あくまでも前へ進むことを目的として、フィードバック・サイクルを回すことが大事です。

そのためには、「ステップ4」で紹介した「ARCSモデル」の残り二つの要素である、「Confidence（自信）」と「Satisfaction（満足感）」が重要なキーワードとなります。

●Confidence（自信）

ARCSモデルにおける自信とは、すなわち**「成功への期待」**です。

学習者が「自分は必ずゴールに到達できる」と確信できれば、自信を持って前へ進めます。

では、どうすれば確信を持てるのか。

それには、「成功確率の推定値」を本人が把握する必要があります。

つまり「この教材をやり遂げたら、テストの点数はどれくらい上がるのか」「この学習法を続けたら、どれくらい英語を話せるようになるのか」といった確率を知ることで、学

学習時間とVERSANTスコアの推移

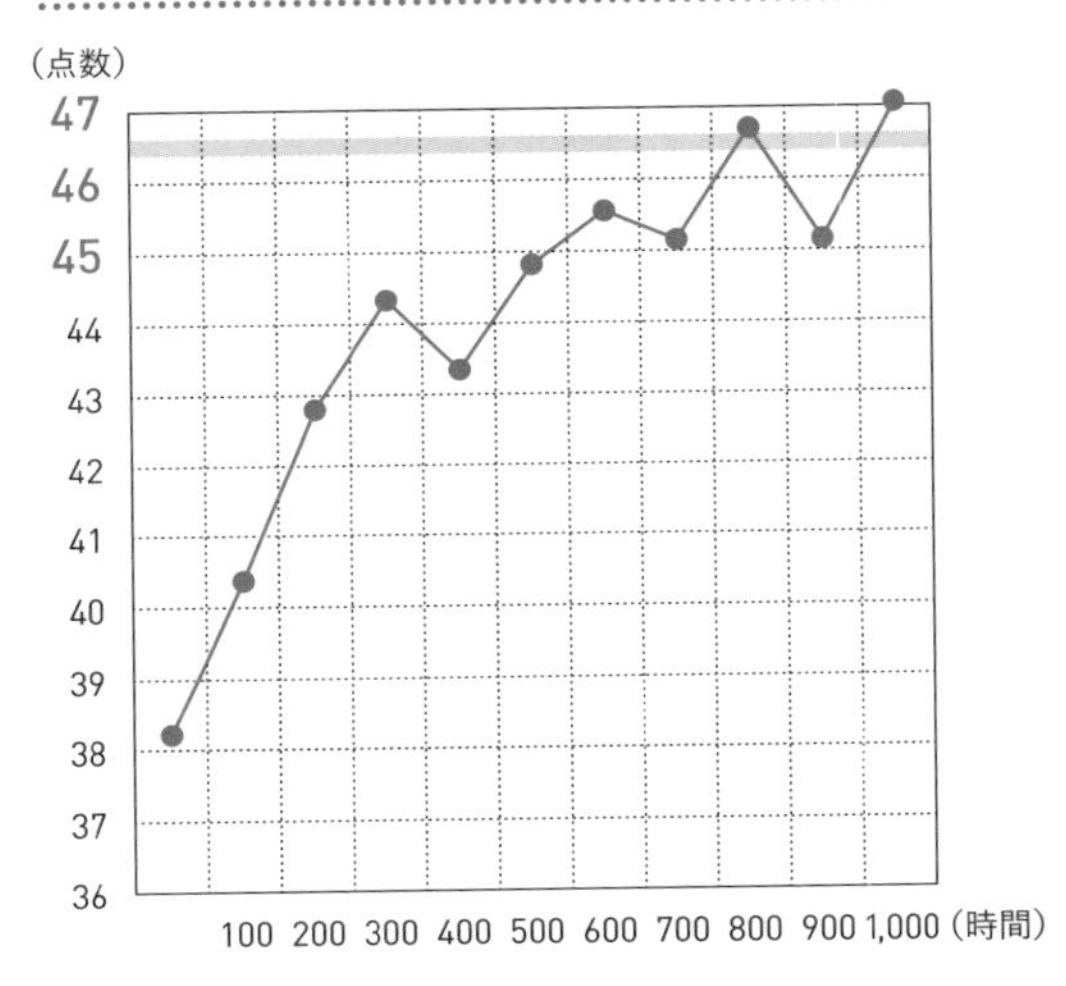

※ 2019 年～ 2021 年 5 月の TORAIZ 受講生の合計学習時間と VERSANT 平均スコアの推移。総受験回数 14,070 回

習者は成功への期待を抱くことが可能になります。

例えばTORAIZでは、過去の実績としてVERSANTスコアの推移を提示しています。受講生には月に一度、VERSANTを受けてもらいます。三〇点台からスタートした受講生が一年間学習を続けた場合、スコアが平均的にどう変化するかを示したのが、上のグラフです。

これでわかる通り、一〇〇〇時間の学習をこなせば、「英語で業務遂行できる」とされる四七点に到達できます。

誰もが経験する「停滞期」の乗り越え方

ただし、注目してほしい点があります。

それは、**右肩上がりで一直線にスコアが上がっていくわけではない**ことです。

なかでも三〇〇時間から四〇〇時間の間と、八〇〇時間から九〇〇時間の間でスコアが下がっている点が目立つかと思います。

私たちは、これを**「四の谷（死の谷）」「九の谷（苦の谷）」**と呼んでいます。

学習時間が増えるほど、学習達成度も上がると考えがちですが、実際にはある程度の学習時間を積み上げたところで停滞期がやってきます。

これは英語だけでなく他の学習でも見られる現象で、こうした**一時的な停滞状態のことを、心理学用語で「学習高原（プラトー）」と呼びます。**

つまりその人の能力には関係なく、学習する人なら誰でも経験する「谷」なのです。

よって現役の受講生には、過去の受講生の実績としてこのグラフを見せて、一年の間に学習達成度のアップダウンがあることをフィードバックします。

するとと「今はスコアが伸び悩んでも、この谷さえ越えれば、ちゃんと上がるんですね」と納得できるので、停滞期でもモチベーションを失わず、自信を持って学習を続けることができます。

もしそのことを知らなければ、「最近全然スコアが伸びないな」「もうこれ以上は上達しないのかもしれない」と主観的な評価に終始して、最後は「どうせ勉強を続けても成功できない」とあきらめてしまうことになるかもしれません。

あるいは「今使っている教材が悪いのかもしれない」と考えて、途中で教材を変えてしまうのも失敗につながります。

新しい教材を買ってきては試すものの、結局は確信が持てず、また新しい教材を買ってくる。その繰り返しで、いつまで経っても前へ進めないケースがよくあります。

こうした悪循環に陥らないためにも、学習者が成功確率の推定値を知ることは、極めて重要です。

TORAIZではコンサルタントがフィードバックを行いますが、独学の人も今は様々なデータや資料を入手できます。

先ほどのVERSANTスコアの平均的な推移や受講生の個別のスコア事例は、弊社のホームページや私の過去の著書でも公表しています。またTOEICであれば、様々な教育機関や英語を公用語とする企業が、学習法や学習時間とスコアの関連性についてデータを公開しています。

こうした情報を調べることで、自分の学習テーマの場合はどこでプラトーがやってくるかを知ることができます。

あるいは**学習ロードマップを作成するときにお手本にした身近な先人に、「〇〇さんが勉強をしたときは、壁にぶつかった時期はありましたか？」「それはどうやって乗り越えたのですか？」と聞いてみる**のもいいでしょう。

信頼できる人から体験談を聞くことで、「自分にもできるはずだ」と確信を深めることができるはずです。

小さな成功体験でも自信につながる

さらにもう一つ、自信を持つためにやってもらいたいのが、成功体験を語ることです。

TORAIZではコンサルタントが二週間に一度、学習の進捗度チェックを行いますが、その際に「今週はどんな良いことがありましたか?」という質問を必ずします。

すると「海外拠点の外国人メンバーに、英語で正確に指示を伝えられた」「テレビのニュースで流れてきた英語が聞き取れて嬉しかった」といった答えが返ってきます。

こうして成功体験を語ることで、自分自身も達成感を認識し、自信を深められます。

独学の人なら、ツイッターで「参考書を第3章まで読み終えました!」「過去問を解いたら、一〇〇点中八〇点取れました!」などとつぶやいてもいいですし、家族や友人に話すのもお勧めです。

せっかく学習目標をオープンにしたのですから、「こんなことくらいで喜ぶのはおかしいかな」などと思わず、どんどん成功体験を語りましょう。

◉Satisfaction(満足感)

ARCSモデルでは、「モチベーションと満足度には直接的な関係がある」という理論にもとづき、「学習者が学習プロセスを達成したことに満足しなければいけない」と考えます。

つまり本人が「今週も勉強してよかった」「今月も頑張ってよかった」と思えなくては、学習意欲を維持できないということです。

満足感を得るには、量的評価と質的評価の両方が必要です。

量的評価は数値化された指標による評価で、テストの点数やＶＥＲＳＡＮＴのスコアで評価するなどの方法はこちらに該当します。

ただし、点数やスコアが順調に上がっているときはいいのですが、前述のように停滞期に入ると、それだけで満足感を得るのは難しくなります。

そこで数字などの客観的指標とは別の軸で「自分はこんなことが達成できた」と実感できる質的評価が必要となります。


ＴＯＲＡＩＺでは学習の進捗度チェックをする際に、「学習計画に対し、達成できたこと達成できなかったこと」を明確にした上で、達成できたことはコンサルタントが必ず褒めるようにしています。

「今月は仕事が忙しかったのに、一日三時間の学習を継続できたのは素晴らしいですね」

「英語の音だけでなく、意味も同時に理解できるようになっていますね。順調ですよ」

こうして人から褒められると、受講生は「勉強してよかった」と満足します。

独学の人も、周囲の人から褒められれば、同じように満足感を得られます。そのためにも、先ほどお勧めしたように、ちょっとした成功体験でもどんどん人に語ってください。

友人や家族からもらう「すごいね」「頑張ってるじゃない」といった一言が、大きなモチベーションにつながります。

「スタート地点の自分」と比べて成長を実感する

また、学習のスタート地点にいた自分と、今の自分を比較することも、満足感を得るにはお勧めの方法です。

TORAIZでは初回レッスンの際に、受講生との会話を動画で撮影します。「自己紹介してください」「あなたが好きなことは何ですか?」「好きなスポーツは?」といった簡単な質問に英語で答えてもらうのですが、最初は当然しどろもどろです。

さらに学習開始から半年後にも、同じ質問に答える様子を撮影します。

そして、受講生が停滞期に入ったり、勉強に悩んだりしている様子が見えたら、半年後の動画を見せるのです。すると「思った以上に話せるようになっていますね」と、皆さん一様に明るい表情になります。

英語力は徐々に伸びていくものなので、本人は自分の変化をなかなか自覚できないことがよくあります。そんなときはスタート地点の自分と比較すると、自分のイメージ以上に成長していることを実感できて、満足感を得ることができます。

皆さんも**学習を始めるときに、ぜひ自分のレベルを記録しておきましょう。**

英会話やパソコンスキルのように技能を伴うものなら、動画や音声などで撮影・録音しておきます。Ｚｏｏｍなどでオンラインレッスンなどを受ける場合も、録画機能で記録を残しておくといいでしょう。

学習中にモチベーションの低下や伸び悩みを感じたら、それを見ることで「最初に比べれば、今はこんなに上達しているじゃないか」と思えます。

資格試験の場合は、最初の頃に使った参考書やノートを開いてみるといいでしょう。「そういえば、最初はこんな簡単な内容も難しく感じたな」などと記憶がよみがえり、自分が成長できていることを実感できます。

フィードバックなくして、ゴールには到達できません。

フィードバック・サイクルを回して、自分に自信と満足感を与えながら、スピードを落とすことなく走り続ける。

それが最短最速で学習目標を達成する秘訣です。

STEP7

仕事で学びを活用する

第7章

いよいよ「七つのステップ」の最終段階までやってきました。

最後のステップとしてやってほしいことは何か。

それは、学びを仕事で実際に活用することです。

「TOEICで目標スコアをクリアできました」「MOS試験に合格できました」で終わってしまっては、コストをかけて学習した意味がありません。

学びを使って仕事でより高いパフォーマンスを出したり、プロジェクトを成功させたりといった具体的な成果に結びつけてこそ、大人が学ぶ意義があります。

自分の生きる現実世界で、学びを役立てること。

これはインストラクショナル・デザインが最終的に目指すところでもあります。

ただし、参考書や問題集で学んだ知識を実践で使えるものへ磨き上げていくには、いくつかのポイントがあります。この章では、それを解説しましょう。

皆さんはここまでに、人生計画を立て、学習目標を明らかにし、学習ロードマップや学習スケジュールを組み立てて、いくつもの段取りを経てきました。

それらのプロセスも「ステップ7」を実践してこそ、本当に価値あるものになります。

では、「学び方」の総仕上げといきましょう。

「学習のゴール」のその先がある

ここまでインストラクショナル・デザインの理論にもとづき、個別最適化された学習プログラムをデザインする手順を解説してきました。

きっと皆さんにも、最短最速で目標を達成する「学び方」を理解していただけたと思います。

ただし、忘れてはいけないことがあります。

皆さんが作成した学習ロードマップの最終地点は、あくまで「学習のゴール」であるということです。

もう一度、第1章と第2章で作成した「人生・学習デザインシート」を見直してください。

学習のゴールを設定したのは、将来なりたい自分自身のイメージを実現するためであり、ひいては思い描く人生やキャリアを歩むことが目的だったはずです。

よって、学習でインプットした知識やスキルは、実践の場でアウトプットできなければ意味がありません。

ビジネスパーソンであれば、インプットしたことを仕事で活用できる学びへと深めていくことが必要です。

TOEICで目標スコアをクリアしたら終わりではなく、実際にネイティブとの交渉やプレゼンで使えるまで英語力をブラッシュアップする。

MOSのExcelエキスパート試験に合格したら終わりではなく、マーケティング分析で多変量解析ツールを使いこなせるようになる。

このように、学んだことを仕事に役立ててこそ、学習を続けてきた意味があります。

インプットしただけでは、アウトプットできない

「でもインプットしたことは、アウトプットもできるんじゃないの？」

そう思っている人も多いかもしれません。

しかし現実には、「わかる」と「使える」には大きな差があります。

いくら数学の公式を暗記しても、計算を間違えてしまうことはあるし、ゴルフの本を読んでスイングのフォームを覚えたとしても、実際にドライバーを振ったらボールにかすり

もしないことはよくあります。

つまりインプットしたからといって、アウトプットできるとは限らないのです。

日本の英語教育は最たるもので、文法と単語ばかり覚えさせるので、結局は英語を話せるようになりません。

すでに説明したとおり、コミュニケーションで必要なのは「即時に構文して話す力」です。

しかし、人間の脳の処理能力には限界があるので、実際の会話でいちいち文法と単語を組み合わせて文章を組み立てていたら、とても会話のスピードに追いつきません。

これが中学・高校で約一〇〇〇時間も英語を勉強したのに、多くの日本人が英語を話せない理由です。つまり「学習のための学習」になってしまい、実践でアウトプットすることを前提とした学びではないのです。

本当に英語を話せるようになりたいなら、会話でよく使うフレーズを丸暗記し、自動的に口からスラスラ出るようにトレーニングすることが一番の近道です。

日本の教科書はいまだに「I'm Mike. This is Ken.」といった会話文からスタートしますが、私はこれまでネイティブとの会話で誰かを紹介するときに、「This is ～」を使ったことが一度もありませんし、相手が使っているのを聞いたこともありません。

使いもしないフレーズを覚えるくらいなら、同じ「This is ～」でも「This is the fact（これが事実です）」から英語学習をスタートすべきでしょう。これは孫社長のプレゼンでも頻出するセンテンスであり、議論の場でよく使う定番フレーズです。

これからは日本の英語教育もコミュニケーション力を重視する方向性を目指すとのことですから、子どもの教科書も「This is the fact」から始めればいいし、ビジネスパーソンが英語を学ぶなら、なおさらアウトプットに直結するフレーズを覚えるべきです。

「五つの原則」で実践的な学びを深める

学びを現実の仕事や生活の中で深めていくことの重要性も、理論的に確立されています。

米国の教育コンサルタントであるM・デイビッド・メリルが、従来から提案されている様々なインストラクショナル・デザインの理論を実務家向けに集大成したもので、学習効果を向上させるには「五つの原則」があるとしています。

◉原則1：Problem Centerd（課題志向）

学習者が、現実世界の課題に関連づけられた知識を獲得する場合、学習はより効果的になる。

◉原則2：Activation（活用）

学習者が、新しい知識と関連した過去に学習済みの知識を、新しい知識を学ぶための基盤として活用する場合、学習はより効果的になる。

◉原則3：Demonstration（デモンストレーション）

学習者が、学ぶ知識やスキルのデモンストレーションを見る場合、学習はより効果的になる。

◉原則4：Application（適用）

学習者が、新しく学んだ知識やスキルを新しく発生した課題解決に適用する場合、学習はより効果的になる。

メリルの「ID（インストラクショナル・デザイン）第一原理」の5要素

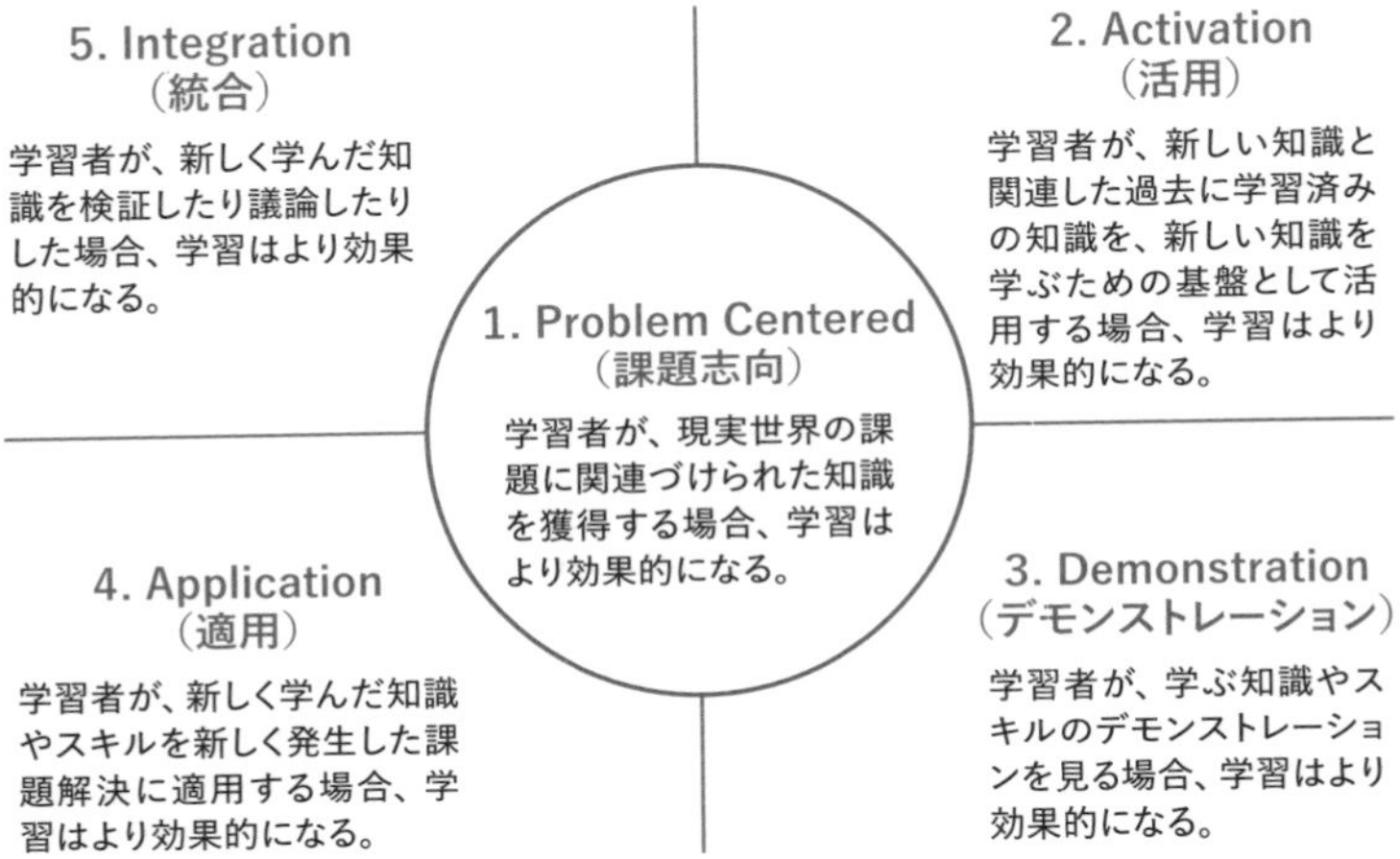

1. Problem Centered（課題志向）
学習者が、現実世界の課題に関連づけられた知識を獲得する場合、学習はより効果的になる。

2. Activation（活用）
学習者が、新しい知識と関連した過去に学習済みの知識を、新しい知識を学ぶための基盤として活用する場合、学習はより効果的になる。

3. Demonstration（デモンストレーション）
学習者が、学ぶ知識やスキルのデモンストレーションを見る場合、学習はより効果的になる。

4. Application（適用）
学習者が、新しく学んだ知識やスキルを新しく発生した課題解決に適用する場合、学習はより効果的になる。

5. Integration（統合）
学習者が、新しく学んだ知識を検証したり議論したりした場合、学習はより効果的になる。

出典：『First Principles of Instruction』（M・デイビッド・メリル著）。筆者が翻訳

◉原則5：Integration（統合）

学習者が、新しく学んだ知識を検証したり議論したりした場合、学習はより効果的になる。

以上の五つの原則をサイクル化してぐるぐる回すことで、仕事や生活などの現実世界において実践的な学びを深めていくことができます。

この五つの原則を聞いて「何かに似ているな」とピンときた人も多いかもしれません。

そう、かの山本五十六（いそろく）の名言です。

「やってみせ、言って聞かせて、さ

せてみせ、ほめてやらねば、人は動かじ」

現場で使う知識をインプットし、指導者にデモンストレーションしてもらったり、自分自身で応用したりしながら実際にやってみる。さらには周囲からフィードバックをもらうことで、学んだ知識を実際の仕事や生活で活用できるようになる。

山本の言葉は、まさにインストラクショナル・デザインの本質を言い当てています。

磨くべきは「学びの運用力」

よって皆さんも、学んだ知識や技能を普段の仕事でどんどん使ってください。

自分の目の前にあるタスクの実行や課題の解決に役立つことを実感すれば、「テキストで学んだ知識はこういうことだったのか！」と納得できて、より実践的な学びへと深めていけます。

もし使ってみてうまくいかなければ、上司や先輩はどのように活用しているのかを観察したり、教えてもらったりしましょう。そして新たに学んだことを、また自分でやってみる。

学んだことを実際に使えば何らかの結果が出て、周囲からフィードバックももらえるので、それをもとに反省や振り返りをして、また挑戦する。
このサイクルを回すことで、机上の学びを本物のスキルへと磨き上げていけるはずです。

その際に大事なのが、この段階で自分が鍛えているのは**「学びの運用力」**であると認識することです。

ペーパーテストのように○×をつけることが目的ではなく、実際の仕事の場面で使いこなせればいいのですから、身につけた知識や技能だけで勝負する必要はありません。

自分の英語力だけで外国人とのミーティングを乗り切るのが不安なら、ホワイトボードに図を描きながら説明してもいいし、想定される質問への回答を英語でメモしたカンニングペーパーを作ったって構いません。

日本人は真面目なので「その場で完璧に受け答えしなければ」と考えがちですが、伝えるべきことを相手に理解してもらえればそれでいいのであって、誰もあなたの英語力をテストしようとは思っていません。

私もネイティブとの仕事で新しいテーマや不慣れな領域について会話するときは、事前にA4・1枚の「予習シート」をよく作ります。そこに覚えきれていない専門用語などを書き出しておけば、会話中でもパッと確認できるので便利です。

学びは人生に役立ててこそ価値がある

学びは、あなたの人生をより良くするために役立ててこそ、価値があります。

この本は最初から、それを目指して学習プログラムをデザインしてきました。

これから先、予想外の環境変化によって、人生の方向転換を迫られることもあるかもしれません。あるいは時代の変化によって自分の興味関心の対象も変わり、新たな道を進みたいと思うこともあるかもしれません。

そんなときも「七つのステップ」を実践すれば、あらゆる学びを仕事やキャリアに活かして、自分が思い描く人生を歩むことができるとお約束しましょう。

「学び方」という最強のスキルを手に入れれば、もう怖いものはありません。

おわりに――「学習立国」こそが日本を救う

「学ぶ力」が日本社会を変革へ導く

私がなぜ今、「学び方」の本を書いたのか。それは学ぶ力こそが、個人の幸せはもちろん、日本の成長を実現する推進力になると確信しているからです。

日本経済はバブル崩壊以降、長らく停滞が続いています。

この三十年間ずっとGDPは横ばいで、働く人たちの賃金は下がり続けています。他の先進諸国の賃金は上がっているのに、日本だけ給料が増えていません。

日本が成長できない最大の理由は、社会変革への対応に失敗したからです。

社会の仕組みを変えようとすれば、大きな摩擦が起こります。その摩擦に耐えられず、日本は変わらないことを選択し続けてきたのです。

過去20年以上、日本だけ給料が増えていない

実質賃金指数の推移の国際比較(1997年=100)

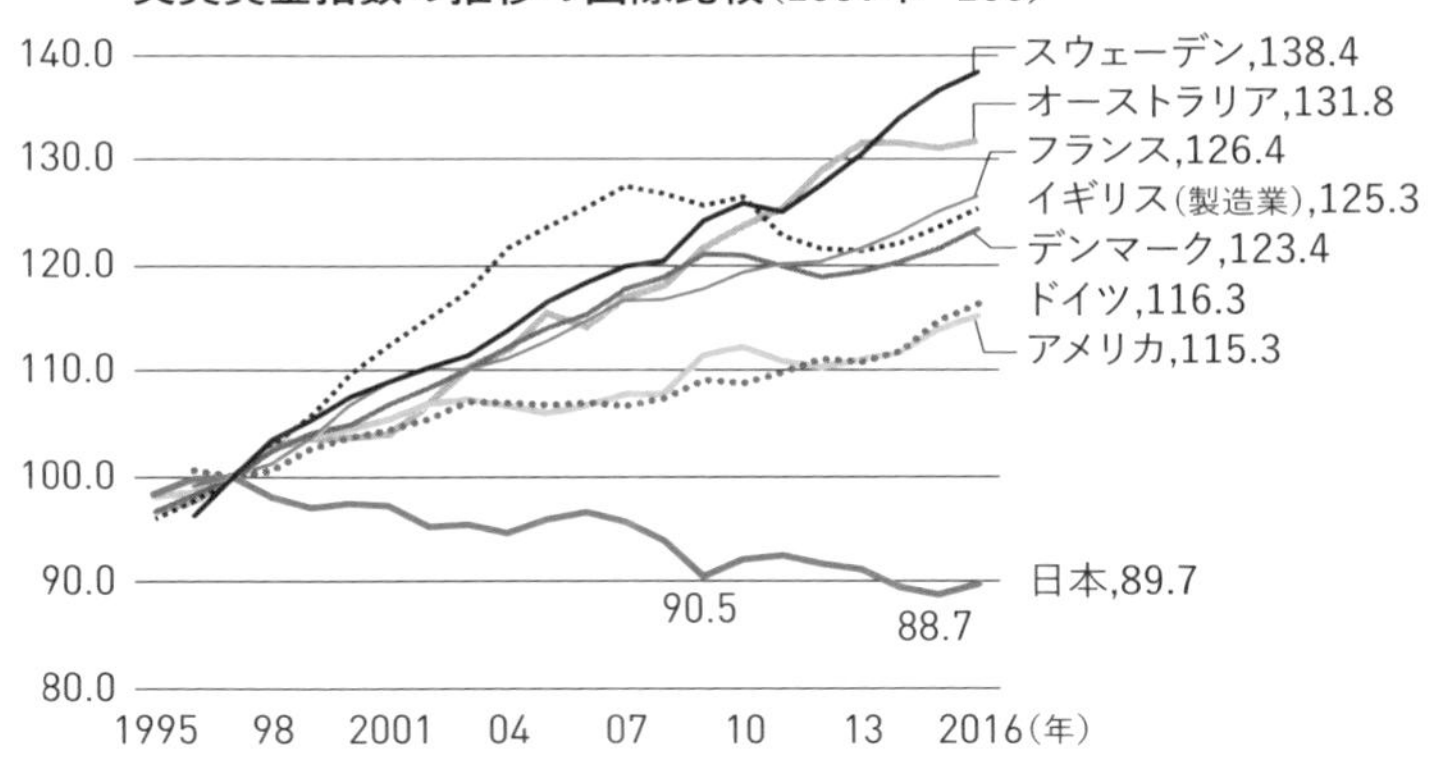

出典：oecd.stat より全労連が作成（日本のデータは毎月勤労統計調査によるもの）。

注：民間産業の時間当たり賃金（一時金・時間外手当含む）を消費者物価指数でデフレートした。
オーストラリアは 2013 年以降、第 2・四半期と第 4・四半期のデータの単純平均値。
仏と独の 2016 年データは第 1 ～第 3・四半期の単純平均値。英は製造業のデータのみ。

例えば企業の雇用形態も、終身雇用・年功序列を前提としたメンバーシップ型から、それぞれの職務内容に適した人材を活用するジョブ型へと、もっと早く切り替えるべきでした。バブルが崩壊して間もない一九九〇年代前半から、遅くともインターネット・バブルが終焉を迎えた二〇〇〇年までには、こうした改革を行う必要があったはずです。

しかし、日本は変革ではなく、現状の社会構造を維持することを選びました。そのために何をしたかといえば、すぐに切り捨て可能な派遣労働の拡大であり、新卒採用の抑制で

す。

それが結果的に氷河期世代を生み、少子高齢化を加速させ、日本はますます停滞から抜け出せなくなる悪循環に陥りました。

社会変革による摩擦を恐れた結果、一歩も前に進めないどころか、二歩も三歩も後退してしまった……。これが「失われた三十年」の本質だと私は考えています。

では、社会改革への摩擦を低減させて、社会がより良い方向へ変わっていくには、どうすればいいのか。その答えは、ただ一つ。一人ひとりが学習し、環境変化に適応できる力を養うしかありません。

個人が変化を恐れなくなれば、社会全体も変革へと進み出します。日本経済が停滞から抜け出して成長力を取り戻せば、個人の暮らしも豊かになるという好循環が生まれます。

そのサイクルを生み出す起点として、「学び方」のスキルが必須となる。

だから私はこの本を書いたのです。

自発的な学びが個人の人生を大きく変える

変化に応じて、必要なときに必要なことを学ぶ。これは海外なら当たり前です。いったん社会に出た後で、大学に入って学び直すケースは珍しくありませんし、働きながらビジネススクールに通う人も数多くいます。大人になっても学び続ける環境が整備されているため、自分の人生やキャリアに必要な知識やスキルがあれば、学習計画を立てて自ら学びの機会を作るカルチャーが根付いています。

ところが**日本では、大学を卒業して一度就職すると、ほとんどの人は勉強しなくなります。**学びの機会といえばOJTや社内研修くらいで、それも会社から与えられたものにすぎず、自発的に学習しようとする意識は希薄です。

だからこそ、自ら学習できる人は、他の人が得られないチャンスをつかんでいます。自分が思い描く人生やキャリアを実現している人は、例外なく自発的な学習を積んでいると断言できます。

TORAIZで英語をマスターしたある受講生は、現在、イーロン・マスク氏率いるテスラで宇宙開発プロジェクトに携わっています。

彼はもともとJAXAの研究者でしたが、自分のチームが開発した技術に予算がつかず、お蔵入りしていました。ところが、その技術に目をつけたマスク氏が実用化に動き出すという朗報が飛び込みます。

これをまたとないチャンスと考えた彼は、ＴＯＲＡＩＺに通って短期間で英語を身につけました。そして米国のテスラに転職したのです。

それにより、自分が担当するテクノロジーで人類の進歩に貢献するという大きなやりがいと、日本にいた頃の何倍もの報酬を手に入れました。

英語を学習したことで、彼の人生は大きく変わったのです。

世界の一流大学の授業を無料で受講できる時代

このように、自発的な学びは、個人の人生やキャリアを大きく変える力があります。必要なときに必要なことを学べば、誰もがチャンスをつかめるのです。

日本には大人が継続的に学習する環境がないからこそ、自分で自分に合った学習機会を作り出せるかどうかが問われます。

幸いにも、今は独学のための場やツールが多様化し、個別最適化した学習プログラムを作りやすくなっています。

これまでなら高いコストを払わなければ得られなかった学習機会も、オンラインを活用すれば、お金や時間をかけずに手に入るようになりました。

例えば**「MOOCs（ムークス）」は、世界各国の有名大学の授業を受けられる学習プラットフォームで、ほとんどの講座が無料**です。有名なものでは、Coursera（コーセラ）、edX（エデックス）、Udacity（ユダシティ）などがあります。

オンライン講座といってもeラーニングのように一方向での配信ではなく、受講生たちが集まってディスカッションしたり、一緒に成果物を仕上げたりするといった、実際の大学の授業で行われるのと同じ双方向のプログラムが提供されています。

スタンフォード大学やハーバード大学、マサチューセッツ工科大学をはじめとする一流大学のプログラムを受講できて、講座を修了するとナノディグリーと呼ばれる修了証が発行される講座もあります（ナノディグリーはUdacityが提供するミニ学位のこと。有料）。またグーグルやIBMなどの企業パートナーが提供する講座もあり、企業の人材発掘や育成の場としても活用されています。

世界トップレベルの授業を無料で受けられるなんて、ひと昔前は想像もできませんでしたが、今は英語さえできれば、世界中の誰もが平等に学びの機会を得られる時代です。

その中で、**日本だけが「学習しない社会」であり続けるわけにはいきません。**

まずは私たち一人ひとりが、自ら学習する独学の力を身につけようではありませんか。

人間は誰もが天才。学び方が才能を引き出す

本文でも述べましたが、「学び方」さえ知れば、誰もが「できる人」になれます。個別最適化した学習プログラムを受ければ、偏差値五〇の人が偏差値七〇になれる。凡才が天才クラスになれるのです。

もっと正確にいえば、もともと人間は誰もが天才で、凡才と思われている人は単に学び方を知らないだけにすぎません。

それなのに、自分は「できない人」だと思い込んで、本当にやりたいことや就きたい仕事をあきらめているとしたら、これほどもったいないことはありません。

この社会に生きる全員が、「学び方」を知り、自分らしい人生を切り開いてほしい。

その思いがこの本を書く原動力になりました。皆さんが学ぶ力を身につけ、幸せな人生へと歩み出してくれることを、私も心から願っています。

最後になりますが、起業したばかりの2006年当時、自社のメイン事業であったeラーニングの限界に悩んでいた私に、インストラクショナル・デザインをご示唆いただき、今日でもTORAIZのコンサルタント向けセミナーをしていただいている熊本大学 教授システム学研究センターの鈴木克明先生に深く御礼を申し上げます。

二〇二一年八月

三木雄信

【参考文献】

・『教材設計マニュアル』鈴木克明著、北大路書房
・『学習設計マニュアル』鈴木克明・美馬のゆり編著、北大路書房

〈著者略歴〉

三木雄信（みき・たけのぶ）

トライオン㈱代表取締役社長

三菱地所㈱を経てソフトバンク㈱に入社。27歳で同社社長室長に就任。孫正義氏のもとで「ナスダック・ジャパン市場開設」「日本債券信用銀行（現・あおぞら銀行）の買収案件」「Yahoo! BB 事業」などにプロジェクト・マネージャーとして関わる。
英会話は大の苦手だったが、ソフトバンク入社後に猛勉強。仕事に必要な英語だけを集中的に学習する独自のやり方で、「通訳なしで交渉ができるレベル」の英語をわずか1年でマスター。2006年にはジャパン・フラッグシップ・プロジェクト㈱を設立し、同社代表取締役社長に就任。同年、子会社のトライオン㈱を設立し、2013年に英会話スクール事業に進出。2015年には1年で英語をマスターできる英語コーチングプログラム『TORAIZ』(トライズ)を開始し、日本の英語教育を抜本的に変えていくことを目指している。
著書に、『海外経験ゼロでも仕事が忙しくても「英語は1年」でマスターできる』『孫社長にたたきこまれた すごい「数値化」仕事術』（ともにPHP研究所）ほか多数。

ムダな努力を一切しない最速独学術

2021年9月28日　第1版第1刷発行

著　者　三　木　雄　信
発行者　後　藤　淳　一
発行所　株式会社ＰＨＰ研究所

東京本部　〒135-8137　江東区豊洲5-6-52
第二制作部　☎03-3520-9619（編集）
普及部　☎03-3520-9630（販売）
京都本部　〒601-8411　京都市南区西九条北ノ内町11

PHP INTERFACE　https://www.php.co.jp/

組　版　株式会社PHPエディターズ・グループ
印刷所　大日本印刷株式会社
製本所　東京美術紙工協業組合

ISBN978-4-569-85018-4